HILDA HILST

O caderno rosa de Lori Lamby

Posfácio
Vera Iaconelli

1ª *reimpressão*

Copyright © 2021 by Daniel Bilenky Mora Fuentes

Grafia atualizada segundo o Acordo Ortográfico da Língua Portuguesa de 1990, que entrou em vigor no Brasil em 2009.

Capa
Elisa von Randow

Imagem de capa
Embrião, de Analu Araujo (2013), acrílica e esmalte sobre tela, 150 × 150 cm. Coleção particular.
www.analu-araujo.squarespace.com

Foto da autora
Juvenal Pereira/ Estadão Conteúdo

Revisão
Ana Luiza Couto
Marise Leal

Os personagens e as situações desta obra são reais apenas no universo da ficção; não se referem a pessoas e fatos concretos, e não emitem opinião sobre eles.

Dados Internacionais de Catalogação na Publicação (CIP)
(Câmara Brasileira do Livro, SP, Brasil)

>   Hilst, Hilda, 1930-2004
>   O caderno rosa de Lori Lamby/ Hilda Hilst ; posfácio
>   Vera Iaconelli. — 1ª ed. — São Paulo : Companhia das Letras, 2021.
>   ISBN 978-65-5921-055-8
>   1. Ficção brasileira I. Iaconelli, Vera. II. Título.
>   21-59104   CDD-B869.3

Índice para catálogo sistemático:
1. Ficção : Literatura brasileira B869.3

Cibele Maria Dias – Bibliotecária – CRB-8/9427

Todos os direitos desta edição reservados à
EDITORA SCHWARCZ S.A.
Rua Bandeira Paulista, 702, cj. 32
04532-002 — São Paulo — SP
Telefone: (11) 3707-3500
www.companhiadasletras.com.br
www.blogdacompanhia.com.br
facebook.com/companhiadasletras
instagram.com/companhiadasletras
twitter.com/cialetras

Sumário

O CADERNO ROSA DE LORI LAMBY, 9

Posfácio: O caderno rosa-choque de Hilda Hilst —
Vera Iaconelli, 71

À memória da língua

Todos nós estamos na sarjeta, mas
alguns de nós olham para as estrelas.
OSCAR WILDE

E quem olha se fode.
LORI LAMBY

O CADERNO ROSA DE LORI LAMBY

EU TENHO OITO ANOS. Eu vou contar tudo do jeito que eu sei porque mamãe e papai me falaram para eu contar do jeito que eu sei. E depois eu falo do começo da história. Agora eu quero falar do moço que veio aqui e que mami me disse agora que não é tão moço, e então eu me deitei na minha caminha que é muito bonita, toda cor-de-rosa. E mami só pôde comprar essa caminha depois que eu comecei a fazer isso que eu vou contar. Eu deitei com a minha boneca e o homem que não é tão moço pediu para eu tirar a calcinha. Eu tirei. Aí ele pediu para eu abrir as perninhas e ficar deitada e eu fiquei. Então ele começou a passar a mão na minha coxa que é muito fofinha e gorda, e pediu que eu abrisse as minhas perninhas. Eu gosto muito quando passam a mão na minha coxinha. Daí o homem disse pra eu ficar bem quietinha, que ele ia dar um beijo na minha coisinha. Ele começou a me lamber como o meu gato se lambe, bem devagarinho, e apertava gostoso o meu bumbum. Eu fiquei bem quietinha porque é uma delícia e eu queria que ele ficasse lambendo o tempo inteiro, mas ele tirou aquela coisona dele, o piu-piu, e o piu-piu era um piu-piu bem grande, do tamanho de uma espiga de milho, mais ou menos. Mami falou que não podia ser assim tão grande, mas ela não viu, e quem sabe o piu-piu do papi seja mais pequeno, do tamanho de uma espiga mais pequena, de milho verdinho. Também não sei, porque nunca vi direito o piu-piu do papi. O moço pediu pra eu dar um beijinho naquela coisa dele tão dura. Eu comecei a rir um pouquinho só, ele disse que não era pra rir nem um só pouquinho, que atrapalhava ele se eu risse, que era pra eu ficar quietinha e lamber o piu-piu dele como a gente lambe um sorvete de chocolate ou de creme, de casquinha, quando o sorvete está no comecinho. Então eu lambi. Aí ele disse pra esperar, e foi até aquela mesinha do meu quarto perto do espelho. É um espelho bem comprido, em volta tem pintura cor-de-rosa, ele pediu para eu ficar deitadinha nas almofadas do chão na frente do espelho com as pernas bem abertas. Eu fiquei. Aí ele tirou da malinha dele uma pasta que parecia pasta de dente grande e apertou a pasta e deu pra eu experimentar e tinha gosto de creme de chocolate. Ele passou o chocolate no piu-piu dele, aí eu fui lambendo e era demais gostoso, e o moço falava: ai que gostoso, sua putinha. Eu também achava uma delícia mas não falei nada porque se eu falasse tinha de parar de lamber. Ele pediu que eu ficasse toda peladinha, porque eu não tinha ainda tirado a minha saia, e aí eu tirei. Ele pediu que eu ficasse do mesmo jeito, com as pernas bem abertas, porque ele queria ver a minha coisinha, e que eu podia abrir a minha coisinha com a minha mão, assim como se a minha coisinha quisesse se refrescar. Eu então abri. Ele ficou de pé na minha frente, e ia mexendo no piu-piu dele e aí ele disse ai ai muitas vezes, e pediu pra ver a minha coisinha bem de perto e que queria me lamber mais, e se eu deixava. Eu disse que deixava porque era muito mais delícia ele me lamber do que eu ficar com a mão na minha coisinha pra refrescar. Ele perguntou me lambendo se eu gostava do dinheiro que ele ia me dar. Eu disse que gostava muito porque sem dinheiro a gente fica triste porque não pode comprar coisas lindas que a gente vê na televisão. Ele pediu pra eu ficar dizendo que gostava de dinheiro enquanto ele me lambia. Eu fiquei dizendo: eu gosto do dinheiro. Depois ele pediu para eu dizer também: me lambe sem parar, papai. Eu disse que ele não era meu pai. Mas ele disse que era como uma brincadeira. Eu fiquei dizendo isso então, e eu estava gostando muito porque o moço sabe mesmo lamber de um jeito tão lindo. Ele também me dá umas mordidinhas e põe só um pouquinho o dedo lá dentro, não muito, só um pedacinho do dedo. Mami avisou o homem que só pode pôr um pouquinho do dedo senão dói. E foi uma delícia. E eu queria mais, mas o moço, que a mami diz que não é tão moço, estava respirando alto, acho que estava cansado porque é assim que o papi respira quando sobe um morrinho que tem lá numa praia da casa do tio Lalau. Agora eu não vou contar mais porque mamãe chamou para eu tomar leite com biscoito. Depois eu vou pôr talquinho e óleo Johnson na minha coisinha porque ficou muito inchada e gordinha depois do moço me lamber tanto.

 Mami me ensinou que a minha coisinha se chama lábios. Achei engraçado porque lábio eu pensei que era a boca da gente, e mami me disse que tem até mais de um lábio lá dentro, foi isso que ela disse quando eu perguntei como era o nome da coisinha. Quem será que inventou isso da gente ser lambida, e por que será que é tão gostoso? Eu quero muito que o moço volte. Tudo isso que eu estou escrevendo não é pra contar pra ninguém porque se eu conto pra outra gente, todas as meninas vão querer ser lambidas e tem umas meninas mais bonitas do que eu, aí os moços vão dar dinheiro pra todas e não vai sobrar dinheiro pra mim, pra eu comprar as coisas que eu vejo na televisão e na escola. Aquelas bolsinhas, blusinhas, aqueles tênis e a boneca da Xoxa.

Eu quero falar um pouco do papi. Ele também é um escritor, coitado. Ele é muito inteligente, os amigos dele que vêm aqui e conversam muito e eu sempre fico lá em cima perto da escada encolhida escutando dizem que ele é um gênio. Eu não sei direito o que é um gênio. Sei daquele gênio da garrafa que também aparece na televisão no programa do gordo, mas sei também da história de um gênio que dava tudo o que a gente pedia quando ele saía da garrafa. Ou quando ele estava dentro da garrafa? Eu sempre pedia pro gênio trazer salchichas e ovos bem bastante porque eu adoro e também pedia pro papi pedir pro gênio tudo que a Xoxa usa e tem. Papi disse quando eu pedi isso pra eu deixar de ser mongoloide. Eu não sei o que é mongoloide, depois vou procurar no dicionário que eu tenho. Papi é muito bom mas ele tem o que a mamãe chama de crse, quero dizer crise, e aí o outro dia ele pegou a televisão e pegou uma coisa de ferro e arrebentou com ela. E comprou outra televisão só pra o escritório dele e também aquele aparelho chamado vídeo. Por isso agora eu estou escrevendo a minha história, porque ele também fica escrevendo a história dele. Ele comprou um outro aparelho que se chama vídeo e pôs lá no escritório dele. Eu já falei isso. Mas é só de vez em quando que tem uma fita bonita pra mim. Às vezes papi e mami se fecham lá, eu não posso entrar mas eu escuto eles rirem bastante. Eu já vi papi triste porque ninguém compra o que ele escreve. Ele estudou muito e ainda estuda muito, e outro dia ele brigou com o Lalau que é quem faz na máquina o livro dele, os livros dele, porque papai escreveu muitos livros mesmo, esses homens que fazem o livro da gente na máquina têm nome de editor, mas quando o Lalau não está aqui o papai chama o Lalau de cada nome que eu não posso falar. O Lalau falou pro papi: por que você não começa a escrever umas bananeiras pra variar? Acho que não é bananeira, é bandalheira, agora eu sei. Aí o papi disse pro Lalau: então é só isso que você tem pra me dizer? E falou uma palavra feia pro Lalau, mesmo na frente dele. Agora tenho que continuar a minha história, mas vou deixar pra continuar amanhã.

Papi não está mais triste não, ele está é diferente, acho que é porque ele está escrevendo a tal bananeira, quero dizer a bandalheira que o Lalau quer. Eu tenho que continuar a minha história e vou pedir depois pro tio Lalau se ele não quer pôr o meu caderno na máquina dele, pra ficar livro mesmo. Eu contei pro papi que gosto muito de ser lambida, mas parece que ele nem me escutou, e se eu pudesse eu ficava muito tempo na minha caminha com as pernas abertas mas parece que não pode porque faz mal, e porque tem isso da hora. É só uma hora, quando é mais, a gente ganha mais dinheiro, mas não é todo mundo que tem tanto dinheiro assim pra lamber. O moço falou que quando ele voltar vai trazer umas meias furadinhas pretas pra eu botar. Eu pedi pra ele trazer meias cor-de-rosa porque eu gosto muito de cor-de-rosa e se ele trazer eu disse que vou lamber o piu-piu dele bastante tempo, mesmo sem chocolate. Ele disse que eu era uma putinha muito linda. Ele quis também que eu voltasse pra cama outra vez, mas já tinha passado uma hora e tem uma campainha quando a gente fica mais de uma hora no quarto. Aí ele só pediu pra dar um beijo no meu buraquinho lá atrás, eu deixei, ele pôs a língua no meu buraquinho e eu não queria que ele tirasse a língua, mas a campainha tocou de novo. E depois quando ele saiu, eu ouvi uma briga, mas ele disse que ia pagar de um jeito bom, ele usou uma palavra que eu depois perguntei pra mamãe e mami disse que essa palavra que eu perguntei é regiamente. Então regiamente, ele disse. Eu ouvi mami dizer que esse verão bem que a gente podia ir pra praia, mas eu fico triste porque não vamos ter as pessoas pra eu chupar como sorvete e me lamber como gato se lambe. Por que será que ninguém descobriu pra todo mundo ser lambido e todo mundo ia ficar com dinheiro pra comprar tudo o que eu vejo, e todos também iam comprar tudo, porque todo mundo só pensa em comprar tudo. Os meus amiguinhos lá da escola falam sempre dos papi e das mami deles que foram fazer compras, e eu então acho que eles são lambidos todo dia. É mais gostoso ser lambido que lamber, aquele dia que eu lambi o piu-piu de chocolate do homem foi gostoso mas acho que é porque tinha chocolate. Sem chocolate eu ainda não lambi ele.

Agora já tem muitos dias que eu não escrevo aqui no meu caderno, eu tive minhas lições e não é muito fácil escrever nesse meu caderno, tem hora pra tudo. E aconteceu bastante coisa. Veio um outro moço diferente, muito peludo. Ele quis que eu andasse como um bichinho, ele falou que podia ser qualquer bichinho, eu disse que gosto muito de gatos, então ele pediu para eu andar igual, como uma gatinha. Mas ele não pediu pra eu tirar a roupa, ele só tirou bem devagar a minha calcinha e pra eu ficar andando como uma gatinha e mostrando o bumbum e fazendo miau. E ele ficou cheirando a minha calcinha enquanto eu ia andando com o bumbum tomando ar fresco, e ele passava a minha calcinha no piu-piu dele e me olhava de um jeito diferente como se estivesse brincando de meio vesgo. Depois eu fiquei brincando com uma bolinha que o homem moço me deu. Esse também não é tão moço, e é muito peludo mesmo. Eu pedi pra ele trazer uma bola cor-de-rosa que aí eu ia brincar de um jeito que ele ia gostar.

— Que jeito? — ele disse.
— Um jeito que o senhor vai gostar.

Mas no fundo eu não sabia que jeito que eu ia brincar. Aí ele disse que se eu brincasse com a bolinha amarela como se ela já fosse cor-de-rosa, ele ia me dar bastante dinheiro. Eu fiquei atrapalhada porque não dava tempo de pensar como eu ia brincar com a bola cor-de-rosa que era amarela. Então eu peguei a bola amarela e pus no meio das minhas coxinhas. O homem perguntou se podia pegar a bola como um cachorrinho que vai tirar a bola de outro cachorrinho. Eu disse que ele podia. Ele ficou de quatro como os cachorrinhos, os cavalinhos, as vacas e os boizinhos e a língua dele ficou pra fora e ele veio com a boca bem aberta tirar a bola que estava no meio das minhas coxinhas. Ele tirou a bola e começou a babar na minha coisinha e disse pra eu dizer que era a cachorrinha dele. Eu disse que era a gatinha. Mas ele queria que eu dissesse que era a cachorrinha.

— O senhor me dá mais dinheiro se eu disser que sou a cachorrinha?

Ele riu e perguntou se eu gostava tanto de dinheiro. Eu disse que sim. Ele falou que ele gostava de eu gostar de dinheiro. Por que será que não dão dinheiro pro papi que é tão gênio, e pra mim eles dão só dizendo que sou uma cachorrinha? Ele pediu para eu segurar a coisa dele, a coisa dele era muito vermelha e eu fiquei olhando antes de pegar.

— Agrada a minha cacetinha, agrada.

— A tua coisa se chama assim?

— Chama sim, lambe a tua cacetinha, sua cadelinha.

E encostou a coisa vermelha na minha boca. Aí eu lambi e tinha gosto salgado e de repente o homem pegou na coisa dele e espremeu a coisa dele na minha coxinha. Depois ele limpou a minha coxinha com o lenço dele e disse que precisava se ontolar. Mami sempre me corrige e diz que é controlar. Que controlar é quando a gente diz: se controla, não come mais doce. Eu entendi mais ou menos. Papai e mamãe têm brigado muito mas eu tenho que continuar a minha história e não posso perder tempo como diz o papi pra mamãe. Então papai veio dar uma espiada no que ele chama agora de "relato". "O meu relato." E disse que estava muito monocórdico. Eu já perguntei o que era monocórdico e ele me disse: leva um bom dicionário de uma vez, você pergunta muito. Aí ele disse que ninguém vai dar um tostão pro que eu escrevo. Eu perguntei por quê. Mamãe falou assim pro papai:

— Tem que ter muito mais bananeira, quero dizer bandalheira. (mami)

— Você está falando igualzinho ao Lalau, e quer saber? não te mete, eu é que escrevo. (papi)

— É que ninguém lê o que você escreve, você já sabe. (mami)

— Tu cu ó que, Judas? (papi) Tu quoque Judas? (correção do Lalau)

— Nós vamos voltar pra aquela merda de antes. (mami)

Aí eu pedi pra todo mundo ir embora senão eu não podia escrever. Depois ele me chamou e começou a me abraçar e mamãe disse pra ele não fazer ceninhas românticas e ser mais objetivo. É isso: objetivo. Depois eles falaram que precisava ter mais conversa, mais diálogo, como eles dizem. Mas como eu vou fazer pra ter diálogo se os homens não falam muito e só ficam lambendo?

— Cacetinha? (mami)

— Mas é a história de uma ninfetinha, você não entende? (papi)

— Ah, isso vai ficar uma bosta mesmo. (mami)

— Mas depois melhora, gente, a coisa tem que ter começo, meio e fim. (papi para mami e para os amigos)

— Vamos ver, eu ainda não dou um tusta pra essa história. (Lalau)

Aí eu perguntei se posso também falar do meu ditado que é assim: A Amazônia é muito grande e bonita e tem madeiras nobres.

— Quem foi essa professora idiota que disse que tem madeiras nobres lá? Tinha, tinha, agora não tem picas. (papi)

— O que são madeiras nobres? (eu)

— São madeiras muito especiais, raras. (mami)

Aí papi disse que não dava pra escrever com essa falação e eu também não sei direito como a gente faz um diálogo. Eu perguntei pro papi se ele gostava de mim e se ele queria me lamber. Ele disse que não, que gosta de lamber a mamãe.

Hoje foi um dia muito maravilhoso e diferente. Apareceu um homem tão bonito aqui e conversou muito com mamãe e papai. Eu ouvi um pouco atrás da porta do escritório e ele disse que precisava de cenário, de mais cenário, e se podia me levar para a praia, que precisava de um cenário de saúde. Que era bom isso de ter uma menininha e que ninguém entendia isso, e que até teve uma conversa com um médico dele sobre isso e o médico deu umas bofetadas na cara dele, quero dizer que o médico é que deu umas bofetadas nele. Papai disse que era uma ideia muito boa isso de praia e cenário e tarado, é, o moço dizia, é negão, cenário de saúde, muito sol, isso dá certo. Então acho que eu vou pra praia com o moço. Depois eu entendi só um pedaço, que o sexo é uma coisa simples, então acho que o sexo deve ser bem isso de lamber, porque lamber é simples mesmo. Depois eles falavam que a Lorinha gosta de fazer sexo, não é uma vítima, ela acha muito bom. Eles riam muito também. O homem disse que me trazia de volta à tardezinha e que ia trazer um peixe lindo pra mamãe e papai. Então eu fui com o tio Abel. Ele se chama assim. Foi lindo desde o começo. No carro eu sentei do lado dele e ele pediu que eu ficasse com as perninhas um pouco abertas. Eu fiquei. Então ele guiava o carro só com uma mão, e com a outra ele beliscava gostoso a minha coisinha e chamava de xixoquinha a minha coisinha. Depois ele ia passando o dedo bem devagarinho e perguntava algumas coisas. Aí eu pedi para escrever num caderninho e ele não entendeu. Eu expliquei que estava escrevendo a minha história e que precisava ter conversa na história porque as pessoas gostam de conversas. Aí ele disse pra eu não me preocupar com isso agora, que ele até pode escrever um pouco para mim, e que essas conversas se chamam diálogos. Ele disse que um dia também sonhou em ser um escritor.

— Papai é um escritor — eu disse.
— É um grande escritor.
— Mas ninguém lê ele.
— É, mas agora vão ler.
— Por quê?
— Porque ele vai contar uma história do jeito que o Lalau gosta.
— O senhor conhece o tio Lalau?
— Conheço sim.
— O papai briga muito com ele.
— Mas não vai mais brigar não.

Agora eu vou continuar a minha história. Aí o homem ficou sério e disse.

— Você está molhadinha.
— Estou sim.
— Então pega um pouquinho no meu pau.

Eu perguntei se o pau era a cacetinha, mas esse homem disse que não, que era pau mesmo. Eu peguei na coisa-pau dele e na mesma hora saiu água de leite. Aí tio Abel disse que aquela vez não valeu, mas que lá na praia ia ser diferente. A viagem foi linda, tinha muito sol, ele parou numa barraquinha e comprou morangos, e disse que ia pôr um morango na minha xixoquinha e depois ia lá buscar. A gente conversou muito, e eu disse que um outro homem ia me comprar uma bolinha pra pôr lá dentro, uma bolinha cor-de-rosa. E que esse homem andava como um cachorro.

— Que mau gosto — ele disse.

Mas não teve muitos diálogos para eu colocar aqui. Depois eu continuo.

Aí nós chegamos no hotel e ele falou que ia dizer que eu era filhinha dele.

— Que tal? — ele disse.
— Está bem — eu disse.

Depois eu falei: tio Abel, o senhor também gosta de brincar de papai? Porque um outro homem também gostava. Ele disse que todo mundo é porco e gosta, só que não fala. Eu disse: é porco brincar de papai?

— É porco sim, mas toda a humanidade, ou pelo menos noventa por cento é gente muito porca, é lixo, foi um grande homem também porco que disse isso. O tio Abel que disse.

— Que esquisito, né, tio? — eu disse. E noventa por cento eu não sei o que é. E humanidade também não.

Depois eu continuei dizendo que ia me atrapalhar porque eu chamava ele de tio Abel e agora ia ter que chamar ele de papai. Então ele disse que não precisava, que tio Abel era melhor mesmo. E que Abel foi um homem muito bom, mas se fodeu.

— Por quê? — eu disse.

— Por que Caim, o irmão dele, matou ele.

— Esse foi outro porco, né, tio Abel?

— Todos nós somos meio Caim, ou inteiro Caim, sabe Lorinha, um dia você vai saber.

Eu não entendi, mas o hotel era mesmo muito lindo. O quarto era também muito bonito e a gente via o mar. Só que não tinha quase gente porque hoje não é sábado nem domingo. É terça-feira. Aí ele tirou a minha roupinha, me carregou no colo, eu fiquei no colo dele, e ele disse pra eu fingir que estava com medo. Eu disse que não tinha medo, que estava muito gostoso.

— Faz de conta que eu sou um homem mau que te peguei e vou fazer coisas porcas com você.

Aí eu comecei a rir e disse que ele era muito bonito e eu não podia dizer que tinha medo. Tio Abel ficou um pouco chateado e disse que assim não ia dar pra brincar. Vai dar sim, pra brincar muito, eu disse, e me encolhi toda no colo dele e falei:

— Ai, não faz assim, eu estou com muito medo.

— Abre a perninha, sua putinha safada.

— Ai, tio Abel, não faz assim, ai ai ai.

Então ele pôs as duas mãos na minha bundinha e me levantou e começou a beijar e a chupar a minha xixoquinha, e desabotoou bem depressa a calça dele, tudo meio atrapalhado, mas era uma coisa mais linda de tão gostoso. Eu gostei bastante de brincar de medo. Depois ele quis ficar lambendo bastante a minha coisinha, ele disse que era uma vaca lambendo o filhotinho dela e lambeu com a língua tão grande que eu comecei a fazer xixi de tão gostoso. Tio Abel lambia com xixi e tudo e eu disse que estava com tontura de tão bom, e também que agora estava ardendo e ficando inchada a minha xixoquinha.

— A tua bocetinha, ele disse. Que é minha agora, ele disse. Vamos passar olinho na minha bocetinha mais piquinininha.

E ele passou óleo, e eu pus o meu maiô e ele também pôs e fomos pro mar. Tinha muito sol, estava um dia maravilhoso, mas eu estava andando com as minhas perninhas meio abertas e ele disse pra eu me esforçar pra andar direito senão podiam querer saber por que eu estava andando assim e era claro que a gente não podia contar.

— Claro que não, tio, senão todo mundo, todos os papi e todas as mami e todos vão pôr as menininhas pra serem lambidas e tem menininha mais bonita ainda que eu, e aí eu não vou ganhar muito dinheiro, né, tio?

— É sim, Lorinha, se tiver muita bocetinha como a sua, de gente piquinininha e tão safadinha, você não vai ganhar tanto dinheiro. Você é impressionante, Lorinha, muito inteligente mesmo, e quer saber, Lorinha? Você me faz sentir que eu não sou mau.

— Por que, tio? O senhor se sentia um homem mau?

— Eu me sentia um canalha.

— Papi agora também diz que se sente assim. Mas antes ele dizia que a vida tava uma bosta. Mas ele melhorou e não fala mais que a vida tá uma bosta depois que todo mundo começou a ser lambido.

— Todo mundo, quem? — tio Abel disse.

— Eu, a Lorinha — eu disse.

Ele riu muito, e disse que eu era demais. Eu conversei muito com tio Abel e eu não sei se vai dar pra pôr tudo em conversa, quero dizer, em diálogo, porque dá muito trabalho de escrever toda hora na outra linha do caderno, e o meu caderno não é muito grosso, então vou continuar contando do meu jeito e quando der pra pôr na outra linha eu ponho. Nós fomos para um canto da praia, e lá tem uma pedra grande, a gente subiu até a pedra, e no pedaço mais difícil de subir, o tio subia na frente, mas ele gostava muito quando eu subia na frente no pedaço mais fácil, ele dizia:

— Lorinha, você tem a bundinha mais bonita que eu já vi, e eu já vi que você tem dois furinhos, duas covinhas em cima da bundinha, e isso é raro.

— O que é raro?

— Raro é quando pouca gente tem.

— O quê, por exemplo?

— Dinheiro — ele disse — e os teus furinhos.

— Mas dinheiro é fácil.

— É fácil nada.

— Pra mim é fácil.

— É que você é predestinada.

Aí ficou muito complicado pra ele me explicar o que é predestinada. Eu pedi pra ele me escrever essa palavra pra eu pôr aqui no caderno, ele escreveu, mas a coisa de predestinada é mais ou menos assim: uns nascem pra ser lambidos e outros pra lamberem e pagarem. Aí eu perguntei por que quem lambe é que paga, se o mais gostoso é ser lambido. Então ele disse que com gente grande os dois se lambem e tem até gente que não paga nada nem pra ser lambido.

— Então o que é mesmo raro, tio?

— Lorinha, nós estávamos questionando o que é predestinada. Raro já passou.

— Então, o que é predestinada, tio? E o que é questionando?

— Lorinha, predestinada é quem nasceu pra ser lambida. Você. Questionando, a gente fala depois.

Fiz bastante diálogo, e agora vou continuar sem diálogo. Por causa daquilo que eu já expliquei do caderno que não é muito grosso. Porque eu ouvi também o Lalau dizer pro papai que não era pra ele escrever um calhamaço de putaria (desculpe, mas foi o Lalau que disse), que tinha que ser médio, nem muito nem pouco demais, que era preciso ter o que ele chamou de critério, aí o papai mandou ele a puta que o pariu (desculpe de novo, gente, mas foi o papi que falou), então deve ser nem muito grosso nem muito fino, mas mais pro fino, e por isso, eu também, se quiser ver meu caderno na máquina do tio Lalau, não posso escrever dois cadernos, senão ele não põe na máquina dele de fazer livro.

Lá em cima da pedra tinha uma espécie de lagoinha e dentro tinha uns peixinhos bem piquinininhos e o tio Abel falou que eu podia sentar na lagoinha e depois ele ia espiar se algum peixinho entrou na minha bocetinha. Eu fiquei brincando na lagoa sempre com as pernas abertas como o tio Abel gosta e como todo mundo gosta, não sei até por que não construíram a gente com as pernas abertas e aí a gente não tinha sempre que ficar pensando se era a hora de abrir as pernas. Nenhum peixinho entrou lá dentro, mas tio Abel olhava sempre, e punha o dedo lá dentro bem devagarinho (pra não assustar o peixinho que não tinha, mas que podia ter, ele dizia) e punha e tirava o dedo e depois lambia o dedo, e foi fazendo assim tantas vezes e foi ficando tão gostoso que eu tinha vontade de rir e de chorar de tão maravilhoso. Que bom que as pessoas têm língua e têm dedo. E que bom que eu tenho bocetinha. Aí eu falei assim, sem querer: eu amo você, Abel. Aí ele ficou com os olhos molhados e disse: eu também amo você, Lorinha, agora dá uma chupadinha no meu Abelzinho. Ele ficou na beirada da lagoinha e eu fui como um peixinho chupar e lamber o Abelzinho. Achei lindo ele chamar a coisa-pau dele de Abelzinho e disse que ia chamar assim todo mundo. Aí ele falou: não faz a tonta, Lorinha, você só pode chamar de Abelzinho o meu pau. Depois ele me tirou da água e disse que precisava me ensinar a chupar o Abelzinho, que às vezes eu podia descansar e conversar um pouco com ele, com o Abelzinho. E depois chupar de novo. Que era uma "falha", ele falou assim, na minha "educação sentimental" (ele falou assim), eu não saber chupar o Abelzinho. Que tinha uma história muito bonita de um homem que era uma espécie de jardineiro ou que tomava conta de uma floresta, e que esse homem gostava de uma moça muito bonita que era casada com um homem que tinha alguma coisa no abelzinho dele, no pau, quero dizer. E disse que esse jardineiro ou guarda da floresta ensinou a moça a conversar com o pau dele e que lá sim é que tinha essas conversas chamadas diálogos muito lindas mesmo. Ele falou que logo ele ia me trazer o livro e assim eu podia pôr no meu caderno algumas coisas parecidas com isso. Eu disse que não queria copiar ninguém, queria que fosse um caderno das minhas coisas.

Agora veio um bilhete do tio Abel: Lorinha, não encontrei a história da moça e do jardineiro pra mandar pra você. Mas eu encontrei esta outra história, muito bonita também. Aqui você vai aprender muitas coisas. O que você não entender, depois eu explico. É a primeira história de um caderno que vai se chamar: *O caderno negro*.

Vou copiar a história que o tio Abel me mandou, no meu caderno rosa. Quem sabe o tio Lalau vai gostar muito dessa história e aí eu peço pro tio Abel me emprestar e a gente junta o caderno negro com o caderno rosa. O nome dessa história é

O CADERNO NEGRO
(CORINA: A MOÇA E O JUMENTO)

> Seu pênis fremia como um pássaro
> D. H. LAWRENCE

> Hi, hi!
> LORI LAMBY

> *Ha, ha!*
> LALAU

MINHA FAMÍLIA FOI PARAR numa cidade de Minas chamada Curral de Dentro. Nós éramos muito pobres, e eu fui trabalhar na roça com meus pais. Às vezes eu pensava que a vida não tinha o menor sentido mas logo depois não pensava mais porque a gente nem sabia pensar, e não dava tempo de ficar pensando no que a gente nem sabia fazer: pensar. Eu já estava com quinze anos, e sempre na mesma vida. A única coisa que me alegrava era ver de vez em quando a Corina, filha do seo Licurgo. Ele tinha uma pequena farmácia e todo mundo se tratava com ele. Corina também tinha quinze anos. Peitos grandes, cabelos negros cacheados, bunda redonda, dentes lindíssimos. Dentes lindíssimos era uma coisa muito difícil de ver em Curral de Dentro, porque lá não tinha dentista e quem arrancava os dentes por qualquer toma lá dá cá era Dedé-O Falado. O nome dele era esse porque como todo mundo tinha que arrancar sempre um dente ou dois ou todos, sempre se falava muito no Dedé. Ele não tinha dente algum. Era moço muito delicado, maneiroso, e morava com a mãe. Ela também não tinha dente algum. Todos os domingos eu tentava ver a Corina na parte da manhã, porque o seo Licurgo abria a farmacinha no domingo na parte da manhã. Um domingo cheguei na farmácia e ouvi vozes altas e gritos e choros que vinham lá do quartinho de trás onde se tomava injeção, e reconheci a voz do seo Licurgo e o choro de Corina. Ele dizia que agora, depois de as pessoas terem visto Dedé-O Falado de mãos dadas com ela, ela não ia mais ficar na cidade. Ela ia ficar definitivamente na casa dele, do seo Licurgo, na roça, morando com a velha Cota, que tomava conta do jumento e da casa. Eu só ouvia agora os soluços dela, e nunca tinha ouvido o seo Licurgo gritar daquele jeito. Fiquei desesperado e gritei: por favor, seo Licurgo, para com isso. Ele saiu do quartinho lá de trás, a cara muito vermelha, e perguntou o que é que eu queria. Falei que queria conversar um pouco com a Corina. Ele me disse que a Corina nunca mais ia falar com ninguém, porque moça desavergonhada tem que ficar calada e trancada. Falei o mais que pude com seo Licurgo, que a Corina era uma mocinha muito direita, que as pessoas são faladeiras e têm muita inveja da beleza e da castidade. Seo Licurgo puxou os óculos até a ponta do nariz, me olhou da cabeça aos pés e perguntou o que é que eu entendia por castidade. Eu disse que as santas eram pessoas castas, que eu havia lido isso num livro, uma espécie de catecismo que os meus pais tinham guardado, e que era um livro que a minha finada avó havia nos deixado. Pois olha, Edernir (esse é o meu nome), posso até estar errado, mas acho que você entende tanto de castidade como eu entendo de logaritmo. Ele não falou desse jeito, ele tinha lá o jeito mineiro de falar, mas agora não me lembro mais. Mas, continuando, achei incrível a palavra e perguntei o que era aquilo, o que era logaritmo. Ele respondeu que era uma coisa bastante enredada, coisa dos números, de aritmética, mas que nunca mais ele esqueceu a palavra, e achava a palavra muito bonita, tão bonita que deu o nome de Logaritmo para o jumento que vivia lá na roça. "É um belo jumento, Edernir, mais escuro que o normal, quase preto, e de pelo muito lustroso, eh pelo bonito, parece até asa de urubu, quer saber Edernir, o pelo do Logaritmo é parecido com o teu cabelo."

Corina nesse instante apareceu no vão da porta com o rosto bastante desfigurado de tanto chorar. Aí seo Licurgo disse: tá bem, minha filha, pode conversar um pouco com o moço Edernir, ele é um bom moço, e diz que entende de castidade. E deu muita risada, entrou lá no quartinho de trás da farmácia dizendo que precisava preparar umas poções pra velha Cota que não parava de cagar, e que a Corina ia levar o remédio pra velha. "Vai arrumar teus trens, Corina, e depois vai e já fica por lá." Mesmo desfigurada eu nunca achei a Corina tão bonita. Ela usava uma blusa da cor do céu azul, uma blusa de seda, e como ela estava suada de tanto chorar e sofrer com os gritos do pai, a blusa ficou agarrada nos peitos, e apareciam os dois bicos de pontas durinhas e saltadas. Eu disse que ela não se desesperasse, que eu tinha certeza que o seo Licurgo ia mudar de ideia, e que ainda que ele não mudasse, eu iria vê-la a cada dia lá na Serra do Ó. A Serra tem esse nome porque as pessoas dizem que lá viveu há muitos anos um velho que não deixava ninguém em paz enquanto as pessoas não diziam Ó quando ele passava. — Vai me ver mesmo? — Corina perguntou. Juro por Deus, eu disse, e peguei e apertei a mãozinha dela. Aí chegou o seo Licurgo e eu tirei depressa a minha mão de cima da mãozinha dela. — Já pode ir, moço Edernir, disse o seo Licurgo. Eu fui. No caminho de volta senti o meu pau duro dentro das calças, cada vez que eu pensava nos peitos e nos bicos pontudos da Corina o meu pau levantava um pouco mais. Eu tinha que ter passado pela capelinha mas do jeito que eu estava não podia. A capelinha era uma construção caindo aos pedaços, cheia de bancos duros, e onde o padre Mel falava sempre aos domingos. Ele se chamava padre Mel porque as beatas diziam que ele falava tão doce que as palavras pareciam mel. O nome verdadeiro dele era Tonhão. Padre Tonhão. Bem, voltando ao meu pau. Eu estava tão perturbado que precisei pôr a mão dentro das calças, e segurei o caralho com força pra ver se ele se acalmava mas o efeito foi instantâneo. Esporrei. Comecei a atravessar a pracinha muito depressa, a mão toda molhada, a calça também, e de repente ouço a voz da comadre Leonida: Edernir! vem aqui um pouco, menino, leva esse bolo de fubá pra tua mãe. Eu comecei a correr mais ainda e ela atrás de mim com o bolo. Me agarrou, me puxou pelas calças e disse credo cruzes Edernir, onde é que tu vai assim, vai caçá o que com essa pressa? E aí me olhou inteirinho e viu a mancha na minha calça. "E não é que o moço tá todo mijado?" Arranquei o bolo das mãos dela e nunca corri tanto. Meus pais estavam na capelinha, ouvindo o sermão do padre Mel, e eu aproveitei para lavar as calças. Depois fiquei zanzando, e Corina não me saía da cabeça. Durante todo aquele domingo fiquei amuado, de cara amarrada, de um tal jeito que os meus pais perguntaram se eu estava sentindo qualquer coisa, se estava doente, ou o que era. Disse a eles que não era nada. À noite fiquei pra lá e pra cá, andando na ruazinha vazia, e fazendo planos para minhas visitas futuras à Corina. Minha mãe me deu chá de erva-cidreira dizendo que aquilo era bom pro nervoso, pro estômago, pra tudo. Na segunda-feira, depois de voltar da roça, disse a meus pais que não tinha vontade de comer nada não, que eu ia andar um pouco lá pela Serra do Ó pra caçar tatu. Eles acharam esquisito porque eu não era de caçar tatu, tinha visto um dia meu pai caçar esse bicho e ele levantou o rabo do bicho e pôs o dedo dentro do cu do animalzinho. É assim que o tatu se aquieta. Tem gente que também se aquieta assim? pensei. E achei horrível. Mas inventei essa mentira e fui. Era bem uma boa légua até a casa de Corina e meu pau foi ficando duro pelo caminho só de pensar que eu ia ver a Corina outra vez. Aí cheguei. A casa era pequena, muito branquinha. Como já estivesse um pouco escuro achei bom gritar o nome dela para que não se assustasse com meus passos. Apareceu a velha Cota, os olhinhos apertados:

"Uai, que que ocê veio fazê aqui uma hora dessa?"

"Vim ver a Corina, velha Cota."

"Uai, não esperava não, então vou botá um trem aqui pra ocê comê."

Aí apareceu a Corina. Ela estava linda. Falou pra velha Cota ir dormir que aquilo não era assunto dela não. A velha saiu resmungando e se fechou no quartinho. "Não liga não, Edernir", a Corina falou, "ela vive dormindo, é só dar uns gritos com ela e ela se aquieta." (Inda bem que a velha Cota era diferente do tatu.) A saia que Corina vestia era bem justa no corpo, bem apertada, e eu podia ver as nádegas estremecendo quando ela se movia. Perguntou se eu queria uns bolinhos de requeijão, eu disse que sim, que queria. Começamos a comer os tais bolinhos, ela sorria, e os dentes brilhavam muito naquela luz do lampião. Perguntei se ela não tinha medo de ficar ali sozinha com a velha Cota, ela respondeu que também não era assim, que sempre tinha algum colega que vinha, depois riu e falou: e tem também o Logaritmo. Eu também ri. E perguntei se podia vê-lo. Ela disse que já estava escuro, e que no escuro eu não ia ver a belezura dele. Que os pelos eram muito lindos de dia, que se pareciam mesmo com os meus cabelos, quase a mesma cor, ela disse. Eu também ri porque nunca ninguém tinha dito que eu tinha o cabelo de jumento, só o seo Licurgo e ela. Ela perguntou se eu não queria sentar na beirada da cama que era mais gostoso que sentar na cadeira. Vi também uma cadeirinha baixa, muito bonitinha, no quarto da Corina. Comecei a querer ver mais de perto a cadeirinha quando ela perguntou se eu não estava sentindo um cheiro gostoso no quarto. Gostoso, sim, eu disse, parece cheiro de folha de eucalipto. É sim, é eucalipto, Edernir, eu pus folha de eucalipto embaixo das cobertas, quer ver? Então Corina se dobrou pra levantar as cobertas e eu não aguentei e abracei-a por trás, ela gemeu e falou: você é tão bonito, Edernir.

Eu fui ficando muito nervoso mas fui pondo a mão embaixo da saia tentando suspendê-la, mas a saia era muito justa e não dava pra bolinar as coxas. Ela foi se rebolando e suspendendo a saia e embaixo da saia não tinha calcinha. Fiquei muito excitado quando vi os pelos pretos e enroladinhos, e então ela perguntou assim: "Quer ver de perto a minha vaginona? Pega nela, pega". Tremi inteiro, ajoelhado, ela começou a passar a mão nos meus cabelos de jumento e foi empurrando com força a minha cabeça na direção da boceta. Eu não sabia muito bem o que fazer mas beijei o púbis gordo e escuro de Corina. Ela dizia: abre, abre, põe a língua lá dentro. Eu, nos meus quinze anos quase castos, tinha um pouco de medo de abrir a vagina de Corina, então ela mesmo o fez, e eu comecei a lambê-la desajeitado. Enfia agora o teu pau, Ed, ela falou. Gostei do meu nome assim reduzido, parecia coisa de mocinho de cinema, porque às vezes eu ia até Salinas, uma cidadezinha perto de lá, e ouvia nomes parecidos com esse. Ed, Ned. Bem, então enfiei, mas Corina se contorcia meio desesperada, dizia enfia mais, Ed, mais, Ed, me atravessa com o teu pau, não tô sentindo quase, ela dizia. Eu suava tanto como se estivesse morrendo de febre malsã, alagado como se estivesse dentro d'água, e aquilo de Corina dizer tantas palavras também me confundia. Será que meter ia ser sempre assim, a mulher falando tanto? Frenético, eu quase metia até as bolas lá dentro e ela esfregava as minhas bolas com tamanho frenesi, com tamanho entusiasmo, que gozei muito antes desse discurso todo. Arriei em cima de Corina, mais pro moribundo que pro vivo. Ela ficou estática de repente, me empurrou enfezada, puxou os cabelos pra trás, e a cara parecia séria demais. Estaria zangada? Olhei de viés, fui me levantando e suspendendo as calças e depois tentei abraçá-la. Ela falou: Ed, você é um franguinho bobo. Meu Deus, eu queria morrer naquela hora, mas sabia que o meu pau tinha trabalhado bem, um pouco apressado talvez, mas bem no ritmo de tanta putaria. Aí falei: Corina, se você não tivesse se arreganhado tanto, eu até que podia ter demorado mais. Ela gritou: arreganhado? arreganhado? uai, Ed, mulher se arreganha pro macho dela, seo bobo, e quer saber? teu pau é magro pra mim, eu gosto é de uma boa pica igual a do Dedé. Fiquei roxo. Então aquele delicado maneiroso tinha um caralhão e metia com a minha doce Corina, aquela que eu achava uma santinha, os olhos acastanhados, as pestanas longas quase douradas, o jeitinho que antes era meigo, o olhar cheio de ternura, aquela minha Corina fodia com o desdentado Dedé-O Falado? Cheio de ciúme e raiva, no entanto controlei-me. Desculpe, Corina, eu disse, amanhã eu volto e vou fazer tudo melhor. Eu te gosto. Corina, completei. Ela riu. "Você pode ir aprendendo, né, benzinho?"

E foi se achegando de novo, passou a mão na minha bunda, não gostei, e disse:

"Epa, Corina, aí não."

"Você é mesmo um tonto, Ed, traseiro de homem também é bom de passar a mão."

"Não gosto disso não."

"Por quê? Você acha que bunda de homem não sente? Você não quer o meu dedo no teu buraco, Ed? É gostoso."

"Não sou tatu, Corina, me larga."

Corina não parava de rir com essa frase, foi se chegando

muito, pedindo que eu passasse a mão nas suas nádegas. Passei. Mas suavemente assim como a gente alisa uma cachorrinha ou a porca nova. Ela pressionou minhas mãos na sua bundona. "Assim Ed — ela dizia —, forte assim, Ed, machuca assim", e fez com que minhas unhas arranhassem a sua carne. Afastei-a.

"Isso também eu vou aprender, Corina."

Voltou a me abraçar e disse: "Me dá a tua língua, põe pra fora a tua língua". E começou a sugá-la como se sugam as mangas. Minha caceta endureceu mas achei prudente não tentar de novo aquela noite.

Fui voltando pra casa meio triste, andando devagar, confuso e magoado. Como a gente é bobo, fui pensando, a cara das pessoas é uma e depois no quarto vira outra, a menina Corina era uma boa puta, uma ordinária, uma mulher da rua, e o que era essa coisa de meter o caralho da gente numa boceta e ficar assim adoidado? E se ela queria um caralho maior que o meu, por que não metia com o jumento? E como seria o pau do delicado Dedé-O Falado? Será que todas as mulheres querem uma tora no meio das pernas? E fui andando agora mais depressa, colérico, tramando enormes indecências, e pensando: (Corina me fez pensar, isso devo mesmo a ela) como é que diz mesmo o catecismo, ou seja lá o que for? Que o homem é feito à imagem e semelhança de Deus. Cruzes, então, eu, Edernir, era feito à imagem e semelhança de Deus? Pensando na boceta da Corina? Estertorando em cima daquela puta? E não é que o meu pau ficava duro ainda pensando naquela porca? De repente me veio um desespero, um remorso de pôr o meu Deus no meio daquilo tudo, e um pouco antes de chegar em casa tomei a resolução de me confessar dia seguinte com o padre Tonhão. Ia contar tudo, que tinha tesão mas também tinha raiva de Corina, que ele me ajudasse e desse o perdão etc. etc. Depois do meu trabalho na roça, fui no dia seguinte à capelinha. Eram cinco da tarde. Entrei, e lá dentro não havia ninguém. A sacristia ficava bem lá no fundo da capela. Era preciso atravessar um corredorzinho, e fui me concentrando, todo comovido e cheio de piedosas intenções. Um silêncio total. Ninguém. Algumas velhas beatas transitavam por ali. Aquela tarde, ninguém. Chegando à porta da sacristia entendi. Havia um bilhete do padre Mel: fui levar os santos óleos pra um compadre meu, em Curral da Vara. Alguém que sabia ler havia lido e espalhado pra todos. Já ia me afastando da sacristia quando ouvi algum ruído. Dentro da sacristia não era. De onde aquele ruído, como se um bicho agonizasse? Abri devagarinho uma portinhola que dava para a horta do padre Mel. Lá, mais adiante, havia um quartinho de ferramentas, enxadas, pás, ancinhos etc.

Meio agachado, fui até lá. E por uma bela fresta da janela toda carcomida vi: padre Tonhão arfava. A batina levantada mostrava as coxas brancas como deveriam ser as coxas de uma rainha celta. (Rainha celta... meu Deus, de onde é que veio isso?) O pau do padre, era, valha-me Deus, um trabuco enorme que entrava e saía da vaginona de Corina, ela por cima, ele se esforçando arroxeado pra ver o pau entrar e sair. Ela, com aquela discurseira toda: ai, Tonhão, ai padre caralhudo, ai gostosura, ai, santa mãe do senhor que te fez Tonhão. Depois a falação do padre: ai, bocetuda mais gostosa, quero te pôr no cu também, vira vira, Cô (pensei: foi aqui que ela aprendeu a reduzir os nomes), vira, putona. Corina de quatro, e o caralho do padre Tonhão agora entrava e saía do buraco de trás da moça, ela rebolando, os olhos revirados. Aí ele tirava um pouco e ela gemia: "Não faz isso, Tô, não faz assim, tua égua (coitadas das éguas) vai morrer de tesão". E ele: "Ajoelha, e pede por favor, diz que se o meu trabuco não entrar mais no teu buraco tu vai morrer, diz, pede em nome do chifrudo, anda, pede". Corina falava bastante, mas não dava pra ouvir tudo. Depois se arrastava aos pés dele, lambia-lhe os dedos do pé, e padre Tonhão que falava mais alto que Corina continuava o discurso: "Não vou pôr não, vou é esporrar na tua boca, cadelona gostosa (coitadas das cadelas!), putinha do Tô (coitadas das putinhas)". Corina chorava, implorando, segurava os peitos com as mãos, fazia carinha de criança espancada (coitadas das crianças) e ia abrindo a boca: "Então esporra, Tô, esporra na boquinha (coitadas das boquinhas!) da tua Corina".

Claro que esporrei vendo e ouvindo toda aquela putaria, as pernas bambas, a garganta seca, e ainda (acreditem) completamente desesperado de paixão. Meu corpo estremecia inteirinho, comecei a correr como se a vara do padre estivesse atrás de mim (Curral da Vara, é? pois claro que sim), atravessei como um louco a pracinha, tropicava outra vez e corria, chorava e soluçava, o rosto inteiro molhado. E não é que ouço de repente a voz da comadre Leonida: "Edernir! Edernir! cruzes credo, o moço anda sempre correndo e mijado!".

Cheguei em casa, esbaforido, fingindo doença, a mão nas vergonhas dizendo: "Que dor aqui, mãe! Acho que é doença da pedra na bexiga, ai, tenho que ir na privada".

Lá dentro tirei as calças e gritava: "Mijei nas calças, mãe, de dor, mãe".

Saí de lá de dentro pálido e trêmulo, vomitei de nojo de mim mesmo, a mãe passava a mão na minha cabeça e só dizia: "Coitadinho, coitadinho do meu menino".

Minha caceta estava murcha e engruvinhada. De tristeza agora. Fui pra cama, enfiei a cara no colchão e chorava chorava, o ranho descia pelo nariz, a mãe limpava e rezava. Tomei chá de quebra-pedra que a mãe fez, fui me acalmando, o pau já estava mais alegrinho, a mãe começou a rezar o rosário, agradecendo a Deus. Da minha cama eu via a noite chegando, as estrelas, a lua cheia, e pensava: meu peito ainda está inchado de amor pela Corina, queria sentir ódio mas não conseguia mais, quanto mais puta ela se mostrava mais eu a queria, minhas narinas sentiam o cheiro daquela vagina rodeada de pelos pretos enroladinhos, aquela gosma que eu lambi a primeira vez parecia a gosma das jabuticabas (coitadas das jabuticabas!), aquela puta vadia era a minha vida, o ar que eu respirava. Olhava a noite linda, estrelas, lua, e toda aquela maravilha não tinha a beleza da boceta de Corina.

Passei alguns dias sem aparecer. Nem na roça. Nem na casa de Corina. Ficava deitado pensando. Pensando no quarto perfumado de Corina, na cadeirinha tão linda. E aí me lembrei com muita nitidez de todos os detalhes dessa cadeirinha. Baixinha, com um buraco alongado quase na beirada do assento. Pois bem, pensei, e pra que serviria aquele buraco? Alguns pensamentos imundos começaram a surgir. Alguém enfiava a caceta naquele buraco e acontecia o que lá embaixo? Não, mas aí seria um buraco redondo, próprio para uma caceta, mas o buraco era alongado. Alongado, em forma de folha larga? Virgem Maria, será possível? Será possível que essa moça Corina tenha mandado fazer um buraco especial, numa cadeirinha rara, só para refrescar a própria vagina? Eu estava louco. E quem teria sido esse artesão? Mas isso era um absurdo, essa moça Corina morava em Curral de Dentro, não morava nas Oropa, no putal de lá, pensei, essa caipirinha não podia ser tão imaginosa, tá bem que se abrisse numa falação, mas era falação de puta de arraial mesmo, e quer saber? Eu vou até lá, ainda que seja só pra ver mais de perto a cadeirinha. Eram três horas da tarde. Andando bem depressa vejo tudo de dia: o jumento, a cadeirinha e Corina. Só não pensei no Dedé. E foi ele mesmo quem vi assim que cheguei. Dedé-O Falado, o delicado, o maneiroso, com a cabeça embaixo da cadeirinha e Corina pelada, sentada em cima. Aquela fenda na cadeira era para Corina se sentar com a vagina no buraco (acertei!) mas não pra refrescar a dita cuja, mas para ser lambida. O Dedé enquanto fazia isso se masturbava e arreganhava os dedos do pé se esticando todo. Quando eu cheguei ele estava esporrando. Ela, ainda se mexendo pra frente e pra trás, rindo gostoso. Não houve o menor sinal de constrangimento ou surpresa. Corina disse: "Vem também Ed, tá de lascar". Dedé, largado embaixo da cadeirinha, falou molenguento: "Tá demais de bom, Ed, tá danado de bom". Pensei com os meus poucos botões: será que a velha Cota também está metendo algum pepino no vaginão ressecado? Que gente! Era fantástico tudo aquilo, surpresas por todos os lados, eu era sim um perfeito imbecil. Fiquei encostado na soleira da porta, olhando o jumento que pastava logo ali. De fato, era muito bonito o Logaritmo.

Quase preto, verdade, de pelo muito lustroso. Passei a mão no meu cabelo e cheguei a esboçar um sorriso. Continuei encostado na soleira da porta. E pueril e inocente comecei a dar tratos à bola: então é isso a vida. O amor, uma bobagem. As mulheres, umas loucas varridas. Ou só a Corina é que era uma louca varrida? Ou eu é que não entendia nada do mundo e todo mundo era assim? E todo mundo tinha sua cadeirinha escondida? As putas das mulheres do mundo inteiro tinham suas ignóbeis cadeirinhas? E por que eu não encarava isso do sexo como uma enorme e gostosa e grossa porcaria e não começava agora mesmo a me divertir com Corina e Dedé?

Então fui tirando as calças bem devagar, fui tirando tudo. Corina e Dedé começaram a sorrir deliciados, e eu, pelado, fui até o pasto, peguei o Logaritmo, fui puxando o jumento pra mais perto da casa. Amarrei o Logaritmo na estaca da cerca, comecei a me masturbar mansamente, e fui dizendo: "Querida Corina, vai mexendo no pau do Logaritmo que eu quero ver o pau dele". Ela ria pra se acabar. Dedé também. "Isso é que é invenção gostosa", Dedé dizia. Corina replicou: "E você acha, tonto, que eu já não buli no pau do Logaritmo?". Ela ajoelhou-se embaixo do bicho e esticava a pele dele pra cima pra baixo, abraçava aquela vara enorme e o bicho zurrava, e ela ria ria, se esfregando inteira no pauzão do jumento. Dedé chegou bem perto de mim e falou: "Você é lindo, Edernir, eu gosto mesmo é de você". Dei-lhe uma tapona na boca, ele rodopiou, ficou de bunda pra minha pica, enterrei com vontade minha linda e majestosa caceta naquele ridículo cu do Dedé. Ridículo é o que eu pensava de tudo àquela hora. Ele gritava: "Ai ai ai que delícia a tua cacetona,

Edernirzinho". Assim que esporrei (apesar de ridículo), dei-lhe uma vastíssima surra de cinta e quando ele já ia desmaiando a Corina tentando fugir, agarrei-a, forçando para que continuasse a masturbar o bicho. Comprimindo-lhe com energia as bochechas, fiz com que recebesse em plena boca a tonelada de porra do jumento. E assim esporrada, meti-lhe um murro, quebrando-lhe os magníficos dentes. Deixei os dois desmaiados, a velha Cota sempre fechada no seu quarto, o jumento comendo os girassóis plantados rentes à parede da casa, o olhar amortecido e gozoso. Voltei para casa, meus pais ainda estavam na roça, pus minhas tristes roupas na mala de papelão, andei por uns atalhos, cheguei à estrada, tomei uma carona, fumei o primeiro cigarro daquele dia, e nunca mais voltei a Curral de Dentro.

Eu era um moço muito bonito, também com dentes perfeitos, e ainda hoje o sou. Tenho trinta anos. Vivo na cidade grande. Sou dentista. Meus amigos também me chamam de Ed.

Tio Abel, eu tive sonhos muito feios depois de ler a história que o senhor me mandou. Sonhei que um piu-piu cor-de-rosa muito muito grande e com cara de jumento na ponta ficava balançando no ar e depois corria atrás de mim. Depois o piu-piu grande passava na minha frente e eu tinha que montar nele, e a cara do piu-piu que era de jumento virava pra mim e passava o linguão dele mais quente que o do Juca na minha coninha. Eu gritei muito de medo do linguão, mas aí apareceu o He-Man e a princesa Leia, e o He-Man cortou com a espada só a cabeça do jumento mas o piu-piu ficou inteiro do mesmo jeito, só que sem a cabeça grande do bicho, e entrou no meio das pernas da princesa Leia e ela gritava ui ui e parecia bem contente. O He--Man também estava com a espada atrás dela, da princesa, e eu estava segurando na trança da princesa Leia e a gente ia voando até o Corcovado. Esse pedaço foi bonito. Mas eu achei muito difícil essa história que o senhor me mandou, e também não sei direito como é um jumento preto. Eu conheço é cavalinho e boizinho e burrinho. Sabe, tio, eu achei a história um pouco feia também. O Edernir ficou bravo com a Corina e o Dedé? Coitado dele, né, tio? Acho que ele ficou sentido com a Corina. Agora eu vou colar figurinhas do He-Man e da Xoxa na beirada do caderno e tudo vai ficar mais bonito.

Vou continuar o meu caderno rosa. Tio Abel me ensinou a chupar. Ele fez uma espécie de aula. No começo ele disse que ia ser meio difícil porque a minha boca é muito piquinininha e a minha mão também.

"Lorinha, você não lembra daquela menininha da televisão que dá uma mordidona na fatia de pão com margarina?"

"Mas é pra abrir e morder assim?"

"Claro que não, Lorinha, é só o começo da aula, pra você aprender a abrir a boca."

"Eu gosto de aprender, tio Abel, papai sempre diz quando o Lalau não está: como é sacana e salafra aquele filho da puta do Lalau, mas vivendo é que se aprende. Então eu quero aprender."

Abel tirou o Abelzinho pra fora, e ele estava muito triste e mole ainda, o Abelzinho, e aí o Abel disse:
"Agora você pega nele primeiro, aqui onde ele nasce."
"Onde ele nasce?"
"Aqui, na raiz dele, olha."
"Que raiz?"
"Aqui perto das bolotas, dos ovos."
Eu fui pegando e o Abelzinho foi ficando duro, fui pegando pra cima e pra baixo, com a mão do tio Abel em cima da minha pra me ensinar, e o Abelzinho foi crescendo e ficando coradinho, e aí eu abri bem a boca e escondi a cabeça dele na minha boca. Tinha um gosto engraçado, de mandioca cozida. E enquanto eu escondi a cabeça dele na minha boca, tio Abel empurrava um pouco a minha cabeça bem devagarinho, depois mais depressa, e ele, o tio, punha o dedo dele no meu buraquinho de trás e senti uma delícia, e descansava um pouco e falava com o Abelzinho, mas o tio não tirava o dedo do meu cuzinho. Eu disse pro Abelzinho: como você é lindo meu bonequinho, como você está todo durinho, meu amorzinho. Tio Abel de repente disse:
"Repete o que eu vou te dizer, Lorinha. Diz: põe mais o teu dedo no meu cuzinho que eu estou adorando."
Então eu repeti isso uma porção de vezes, e aí eu senti uma espécie de dor de barriga, mas uma dor de barriga muito gostosa, a gente nem liga pra essa dor. É uma dor coisa bonita, uma dor coisa maravilhosa.

Não sei por que as histórias pra criança não têm o príncipe lambendo a moça e pondo o dedinho dele maravilhoso no cuzinho da gente. Quero dizer da moça. Papi poderia escrever histórias lindas pra criança contando tudo isso, e então eu fui falar com ele mas não deu muito certo porque mamãe e ele brigaram. Então foi assim:

"Papi, já que o senhor quer ganhar dinheiro do salafra sacana filho da puta do Lalau."

"Não fala assim, menina."

"Mas é você que fala assim, papai."

"Tá vendo? Tudo que a menina fala, tá vendo?" — disse a mamãe.

Então o papi falou pra mami calar a boca mas a mami começou a falar sem parar, ela disse que o bom mesmo era ele escrever do jeito do Henry Miller (tio Abel me ajudou a escrever esse nome) que era um encantador sacaneta, um lindíssimo debochado, e claro que ficou rico, e aí papi disse que estava escrevendo a história dele e não as histórias do Henry Miller, que:

"Você quer saber, Cora, eu acho o Henry Miller uma pústula (Cora é o nome da mami), isso mesmo, uma pústula, uma bela cagada."

"Você tem coragem de dizer que o Henry é uma pústula?"

"Tenho, e quer saber? sua judas, eu trabalhei a minha língua como um burro de carga, eu sim tenho uma obra, sua cretina."

Aí mamãe começou a chorar e disse que adorava ele, que sabia que ele trabalhou muito a língua, que ele era raro e começaram a se abraçar e eu acho que eles iam se lamber, e eu não consegui perguntar do príncipe e da história que ele podia escrever e também não entendi essa coisa de trabalhar a língua, eu ainda quis perguntar isso pra ele mas ele já estava outra vez gritando que a nojeira que ele ia escrever ia dar uma fortuna, e que ele queria muito viver só pra gozar essa fortuna com a nojeira que ele estava escrevendo.

Hoje estamos todos em crise, como diz o papai. Logo cedo ouvi os dois brigando muito de um jeito mais forte e mais gritado. Era assim:

Mami — Eu acho uma droga.

Papi — Por quê, sua idiota?

Mami — Que história é essa de cacetinha piu-piu bumbum, que droga, não é você que diz que as coisas têm nome?

Papi — Você é mesmo burra, Cora, isso é o começo, depois vai ter ou pau ou pênis ou caralho, e boceta ou vagina e bunda traseiro e cu, depois, Cora, eu já te disse que é a história de uma menininha, eu tô no começo, sua imbecil.

Mami — Por que você não escreve a tua madame Bovary? (Tio Abel me ensinou a escrever certo)

Papi — Porque só teve essa madame Bovary que deu certo, e se você gosta tanto do Gustavo, lembre-se do que ele disse: um livro não se faz como se fazem crianças, é tudo uma construção, pirâmides etc., e a custa de suor de dor etc.

Mami — E por que você não aprende isso?

Agora eu não posso nem repetir tudo o que papi disse, mas num pedaço ele falou coisas horríveis porque mamãe falou:

Mami — Você não está bom nem mais pra foder.

Papi — Ah, é? E você acha que eu posso escrever e meter com alguém como você, Cora, que vive com essa boceta acesa, sua ninfomaníaca (Tio Abel também ajudou a escrever). NIN-FOMANÍACA! É isso que você é, Cora, e se você gosta tanto do Gustavo por que não se lembra que ele disse que é preferível trepar com o tinteiro quando se está escrevendo do que ficar esporrando por aí?

Mami — Eu então sou por aí?

Papi — Quer saber mais? Ele tinha sífilis.

Mami — Quem, o Flaubert? (Tio Abel ajudou a escrever esse outro.)

Papi — Sim, senhora, o teu adorado Gustave Flaubert tinha sífilis.

Mami — E daí? todo mundo teve sífilis.

Papi — Todo mundo o escambau (!), todo mundo o meu caralho, Cora, e olha aí a menina, Cora, olha aí a menina.

Aí papai disse que ia encher a cara, e bateu com toda a força a porta do escritório dele, depois abriu a porta e disse que ia buscar a bosta do gelo, e perguntou se mami já tinha bebido a bosta do uísque, ou quem foi que bebeu. Aí mami disse que ele e os amiguinhos dele é que bebem a bosta do uísque. Ele bateu a porta outra vez, abriu outra vez a porta e gritou pra mamãe:

"Quer saber, Cora? O Gustavo era tão sifilítico que tinha a língua inchada de tanto mercúrio."

Mamãe gritou: "É, mas escreveu a madame Bovary".

Hoje, graças a Deus, veio o tio Abel e eu posso conversar um pouco com ele. Primeiro eu perguntei quem era o Gustavo. Ele disse que não sabia. Depois eu perguntei do Mercúrio. Ele disse que Mercúrio era um deus. O deus dos comerciantes. Dos que ganham dinheiro. E eu disse: "E ele tinha a língua inchada?". Tio Abel disse que isso ele não sabia, mas achava que não. Depois ele falou que por falar em ganhar dinheiro, ele, tio Abel, ia viajar, mas que ia escrever muito pra mim, pra eu não ficar triste. Eu falei chorando: "Escreve mesmo, tio Abel, eu amo você". E fui correndo pro meu quarto. Ele ainda gritou: Lorinha, escreve logo para mim, se você escrever eu respondo, e olha, eu vou mandar muitos presentes pra você.

ACHO QUE NÃO SEI MAIS ESCREVER.

Querido tio Abel, eu estou com muita saudade. Estou deitada na minha caminha com toda aquela roupinha que o senhor mandou. Obrigada por mandar as meias furadinhas cor-de-rosa que aquele moço não mandou. Vesti a calcinha cheia de renda e pus as meias e o chapéu que é tão maravilhoso com aquelas duas rosas cor-de-rosa na aba. Agora eu vou contar tudo o que eu estou fazendo pra o senhor ficar com o Abelzinho bem inchado e vermelho porque o senhor diz que assim é que é gostoso. Eu estou deitadinha, abri bem as coxinhas e já fechei o quarto bem fechado, e estou pondo o meu dedo na minha coninha (gostei tanto dessa palavra que o senhor escreveu) mas é muito mais gostoso quando é o dedo do senhor, e é um pouco triste por não ter ninguém pra me lamber agora, e também sinto saudade do mar e dos tapinhas que o senhor dá na minha coninha (que belezinha mesmo essa palavra, no dicionário tem também doninha, mas é outra coisa) e sinto saudade daquela poesia que o senhor escreveu:

> me dá também tua linguinha
> minha namoradinha
> abre tua cona pro Abelzinho espiar
> só um pouquinho, ele não vai abusar.

Deve ser tão bonito a gente fazer poesia. Papai diz que o Lalau vomita só de ouvir a palavra poesia e que um dia o Lalau até peidou, fez pum, sabe? Quando papi muito engraçado mesmo disse um verso de um poeta, e o verso eu pedi pra papi escrever pra eu decorar, e a poesia era assim:

> Que espécie de demência, parvo Lalau
> Te impele aos trambolhões contra meus versos?
> E que sorte de deus, mal invocado
> Te açula a incitar furiosa rixa?

E papai andava atrás de tio Lalau repetindo a poesia bem alto, e o Lalau tapava os ouvidos e papi gritava: "Você é mesmo um bronco sujo, Lalau, isso é Catulo, imbecil, Catulo!". E o Lalau dizia que preferia o Marcial, e esse eu roubei do escritório do papi. É muito esquisito, eu quase não entendi nada, só entendo que também tem a palavra cona. E o poema desse tal de Marcial é assim:

Falas que a boca dos veados fede.
Se é verdade, Fabulo, como afirmas
que olores crês que exala o lambe-conas?

É muito difícil pra mim, por que será que a boca dos bichinhos fede, hein, tio? E entendi isso sim a palavra cona, mas coninha é mais linda. Os poetas devem ser todos muito complicados porque a gente quase não entende o que eles falam, mas eu gosto mesmo é da poesia que o senhor escreveu pra mim, essa eu entendi. Quando eu for grande vou entender as outras, né, tio Abel? É claro que entendi a palavra lambe, disso a gente entende não é, querido Abelzinho? Hoje não posso escrever mais porque tenho muitas lições para fazer. Hoje o ditado é sobre o nordeste, aquele lugar que papi diz que todo mundo morre, e quando ele fala desse lugar, ele fica meio louco e usa uma palavra esquisita, ele fala assim: "Os filhos da puta desses políticos são todos uns escrotos". O que é escroto, hein, tio? São tantas palavras que eu tenho que procurar no dicionário, que quase sempre não dá tempo de procurar uma por uma. Mas deve ser uma palavra feia, porque filho da puta eu sei que é feio falar. Só putinha é que é bonita, e é mais bonita quando o senhor fala.

CARTA QUE O TIO ABEL ME MANDOU
E QUE ESTOU COPIANDO NO MEU CADERNO ROSA

Minha libélula, minha rainha-menina, minha gazela de cona pequena, quero passar meu bico-pica nos teus um dia pelos-penas, tuas invisíveis plumas, chupa teu Abelzinho com tua boca de rosa, menina astuta, abre teu cuzinho de pomba, enterra lá dentro o dedo-pirulito de quem te ama, e pede mais, mais! esfrega tua bocetinha de minipantera na minha boca de fera, deixa a minha língua dançar nas tuas gordas coxinhas, minha boneca de seda, de açúcar com groselha, mija amornada na minha pica, sentadinha nela, defeca sobre minha barriga, Lorinha-estrela, bunda de neve, diz com a boca molhada de meu sêmen e do mel da tua saliva, diz que Lorinha quer mais, mais! minha menininha, a carta já está toda empapada, amanhã escrevo mais.
Teu Abelzinho.

A mamãe diz que a aura da casa está um lixo. Porque papi tem tido crises sem parar. De repente ele abre a porta e sai aos gritos pela casa dizendo:
"Corno da pica do Lalau, eu não vou conseguir ir até o fim!"
MAMÃE DIZ: "Fica frio, amor, vai sim".
PAPI DIZ: "Então esquenta a tua cona na porca da minha cadeira e vê se inventa qualquer coisa, meu deus, meu deus, eu nunca mais vou conseguir meter nem com você nem com nenhuma cadela, e quer saber? Tira a tua filhinha daí porque

eu não aguento mais ver nenhuma menininha, ó meu deus que grande porcaria, que cagada de camelo".

MAMI DIZ: "Ela é nóóssa filhinha! Nóóssa!".

PAPI DIZ: "Ó senhor deus das menininhas!".

MAMI DIZ: "E quem sabe, meu amor, se você puser um menininho, um mocinho...".

PAPI DIZ: (AOS GRITOS) "Cora! Cora! E por que você não vai dar a tua cona pra um efebozinho e escreve a tua história, hein, Cora?".

MAMI DIZ: (AOS GRITOS) "AHHHH! É isso que você quer?".

PAPI DIZ: (AOS GRITOS) "E onde é que está aquele puto que foi viajar e me mandou escrever com cenários, sol, mar, ostras e óleos nas bocetas, a menina já está torrada de sol e varada de pica, ó meu deus, onde é que está aquele merda do Laíto que pensa que programa de saúde com ninfetas dá ibope, hein? Eu quero morrer, eu quero o 38, onde é que tá?".

MAMI: "Meu Deus, eu vou buscar o calmante".

Imaginem se dá pra eu escrever com essa gritaria de papai e mamãe! Meu Deus, eu sim é que falo meu deus. Mas eu vou continuar o meu caderno rosa, eu acho que ele está lindo, e que o tio Lalau vai adorar, porque eu conto a verdade direitinho como ele gosta.

Querido Abelzinho, quase não entendi a tua carta, mas por favor continue escrevendo, ando sempre com o dicionário na mão, não pergunto mais nada pro papi porque agora ele anda escrevendo o dia inteiro, mas a aura continua ainda atrapalhada.

Mami diz que aura é uma espécie de clima da casa. Mas não dá também pra procurar todas as palavras que eles falam, senão eu não escrevo o meu caderno. Vou, isso sim, falar as coisas que você gosta que eu fale, e se eu ficar contando do clima da casa você não me manda mais presente, não é? Ontem veio aquele homem aqui, aquele que tinha me prometido as meias cor-de-rosa e não deu, mas você já deu, e então eu disse que você já tinha dado, ele disse que não fazia mal, que eu podia pôr qualquer meia cor-de-rosa, a sua ou a dele. Eu pus a sua. Ele é tão diferente de você, Abelzinho, o pau dele é meio pálido, e é bem mais fininho, mas ele também quis que eu beijasse ele, e eu beijei um pouquinho e ele me virou ao contrário, e enquanto eu beijava o pau fininho dele, ele me lambia, ele lambia e enfiava a língua no buraquinho de trás, esse que papai chama de cu, mas eu não acho cu mais bonito que buraquinho de trás. Depois ele mordeu com força a minha bundinha, e eu gemi um pouco mas gostei muito, é aquela dor sem dor, e ele me deu umas palmadinhas e esfregava minha bundinha nos pelos dele. Foi gostoso, mas não é tão gostoso como o senhor faz, mas eu fiquei inchada e molhadinha. Olha, tio, eu não encontrei a palavra bico-pica no dicionário. Tem bico e tem pica mas não tem do jeito que o senhor escreveu. E também não posso perguntar para o papai porque ele nem sabe que eu recebo as cartas do senhor, quem me ajuda nesse busílis (como a mamãe diz) é o menino preto que é um vizinho. Depois eu conto na outra carta do menino preto que é lindo. Mami chamou pra tomar leite com biscoito e bolo. Hoje tem bolo de chocolate.

    Tua Lorinha

SEGUNDA CARTA DO TIO ABEL QUE EU COPIEI NO MEU CADERNO ROSA

Minha pomba rosa, minha avezinha sem penas, minha boneca de carne e de rosada cera, os cabelos castanhos de seda roçando a cintura, meu cuzinho de amoras, a boca de pitanga mordiscando o rosa brilhante da minha pica sempre gotejando por você, princesinha persa. Ontem mandei tecidos vermelhos e dourados para você se enrolar quando estiver sozinha e pensando em mim, e mandei também duas argolinhas de ouro para as tuas orelhinhas. Olhe, se alguém te chupar pede pra chupar em meu nome, porque meu ciúme é passageiro, o melhor é a tua e a minha fome de lascívia, te adoro menininha, sonho com a tua vulva tão pequena, mas agora tão mais gordinha de tão manuseada e esfregada e lambida. Quando estivermos juntos de novo vou te ensinar a montar em mim como uma macaquinha e ficar ralando tua bocetinha no meu peito e na minha boca, lindíssima Soraia pequenina, olhinhos de amêndoas frescas, sovaquinho de leite... ó meu deus, já estou esporrando, perdão putinha, a carta vai de novo manchada.
    Teu Abel

Tio Abel, antes de responder direito, como o senhor gosta, as suas cartinhas, tenho que contar que tive que combinar com o menino preto, nosso vizinho mais perto daqui, pra ele levar minhas cartas no correio, ele é muito esperto, muito inteligente, assim como a tua Lorinha, e você precisa mandar as cartas pro endereço dele, senão papai e mamãe vão querer saber o que a gente escreve, e eu não quero mais que nenhum dos dois pegue no meu caderno, e então te mando o endereço do Juca:

R. Machado de Assis, 14. E o nome do menino é José de Alencar da Silva. Só que aconteceu uma coisa. Ele perguntou se eu era tua namoradinha e eu disse que sim. Então ele parece que também quer me namorar um pouco. Ele disse que se eu namorar com ele, ele não conta nada pro papi e pra mami. Ele tem onze anos, é muito bonzinho. Ele disse também que eu sou uma belezinha. Hoje veio um senhor bem velho, viu tio, e ele quis que eu fizesse cocô em cima dele mas eu não estava com vontade de fazer cocô. Aí eu perguntei se não servia xixi, e ele disse que servia sim. Aí ele ficou embaixo da minha coninha e de boca bem aberta, e todo o meu xixi ia perto da boca dele, mas eu não consegui acertar dentro da boca como ele queria porque eu ri tanto e não dava certo. O Abelzinho dele (ai, desculpa, tio), o pau dele era muito molinho, ele pediu pra eu segurar aquelas bolotas que o senhor também tem, mas não tinha nada dentro das bolotas, era tudo murcho e vazio. Depois ele ficou muito vermelho e eu tive que dar água pra ele, ele só falava assim pro pau dele:

"Seu bosta, seu merda, nem assim?"

Ficava repetindo isso e deu um tapa no pauzinho dele, mas deu muito dinheiro pra mim, mais que você dá. Mas eu gosto muito de você, e isso do cocô você não me explicou que tem gente que pode gostar tanto assim de cocô. Agora mamãe me chamou pra tomar o lanche. Eu continuo depois do lanche. Mami diz que gosta que eu estude tanto!

Voltei do lanche. E quero falar que as cartas que o senhor me manda são um barato. Parece língua estrangeira, mas eu leio alto, não muito, fechada no meu quarto, e parece uma língua diferente, muito mais bonita. Quando eu crescer eu quero escrever assim como as cartas que o senhor manda. Por que o senhor também não faz um livro com a máquina do tio Lalau? Será que o papai escreve assim também? Olha, tio, não sei se o senhor vai achar gostoso, mas o menino preto, quando eu fui falar com ele lá perto da estrada, disse que a gente podia namorar um pouco. Eu fui, e você não sabe como é bonito pau preto. Ele se chama José, mas chamam ele de Juca. Ele também pegou na minha coninha e quis espiar, e aí ele tirou o pau lindo preto, e a gente fez como o médico, ficou se olhando. Depois ele quis passar a língua em mim, e a língua dele é tão quente que você não entende como uma língua pode ser quente assim. Parecia a língua daquele jumento do meu sonho, da história que o senhor mandou. Sabe que eu estou fazendo uma confusão com as línguas? Não sei mais se a língua do Juca foi antes ou depois da língua daquele jumento do sonho. Mas será que essa é a língua trabalhada que o papi fala quando ele fala que trabalhou tanto a língua? Eu e Juca ficamos lá no mato peladinhos, e eu ensinei ele a me lamber como o senhor me lambe, porque ele tinha a língua quente mas ela ficava parada, não rebolava a língua como você faz. É que ele ainda é pequeno né, tio? Vou ensinar ele também como ele pode pôr o dedo no meu buraquinho de trás, e vou fazer muito xixi gostoso com aquele dedo preto tão lindo que ele tem. Mas não na boca dele, coitado.

Tua Lorinha

***

Papi hoje teve uma crse grande, quero dizer crise grande. Ele falou pra mami que quer morar no quintal, que não aguenta mais cadeiras, mesas, livros, camas, e que nunca ele vai conseguir escrever o merdaço que o salafra do Lalau quer, que está tudo um cu fedido (nossa, papi!). Mamãe perguntou se ele não quer ir pra praia e ele disse por favoooor, Cora, que ele só quer morar no quintal, e que a vida é um lixo podre, que ele quer beber e foder (assim que ele disse) com as cadelas da vida, e dar o rabo dele (papi não está mesmo bem) pra qualquer jumento (outra vez a historinha do jumento), e meter a pica dele numa porca qualquer. Aí mami ficou de olho esbugalhado, e eu estava espiando e ela não sabia, então a mami ficou de olho esbugalhado e perguntou se ele não queria água com açúcar. Ele disse que queria o revólver, ou cicuta (não sei o que é) ou curare (o que é, hein, tio Abel?) ou uma espada pra fazer o sepucu (meu Deus, o que será?), e aí mami se ajoelhou na frente dele, abraçou as pernas dele e disse que achava que o relato estava muito bom, que pode até dar um filme pornozinho, ela disse também:

"Até teatro, amor! Teatrinho pornô!"

E disse também que ela jurava que ele é melhor que o Gustavo e o Henry e o Batalha. Só sei muito bem quem é o Mercúrio que o tio Abel explicou mas parece que não era esse que eles falaram por causa da língua inchada. Aí mamãe falou assim:

"Meu amor, você é um gênio, teus amigos escritores sabem que você é um gênio."

Aí papi ficou bem louco e disse:

"Gênio é a minha pica, gênios são aqueles merdas que o filho da puta do Lalau gosta, e vende, VENDE!, aqueles que falam da noite estrelada do meu caralho, e do barulho das ondas da tua boceta, e do cu das lolitas."

Aí mamãe falou pra ele se ontolar, quero dizer se controlar, e papi falou que ia se ontolar pra não matar o Lalau, e fazer ele, o Lalau, engolir aqui ó, com a porra da minha pica (a de papi) todos os livros dos punheteiros de merda que ele gosta, que ele papi vai morar em Londres LONDRES! e aprender vinte anos o inglês e só escrever em inglês porque a fedida da puta da língua que ele escreve não pode ser lida porque são todos ANARFA, Cora, ANARFA, Corinha, e depois todo espumado gritou:

"Eu sou um escritor, meu Deus! UM ESCRITOR! UM ES CRI TOR!!!, vou fazer um pato (o que será, hein, tio?) com o demônio, vou vender a alma pro cornudo do imundo!"

Meu Deus, papi, eu vou fazer a primeira comunhão o mês que vem e fiquei agora muito assustada. Mamãe disse que vai dar uma injeção nele, que tudo ia passar, e que ele não podia gritar assim pra não assustar a menina. Aí ele gritou:

"Nada assusta a menina! Nem grito nem pica!"

Então mamãe avançou com a injeção e ele se agachava e gritava pra ela:

"Vem cornudo imundo, vem!"

Então mamãe falou pra ele abaixar as calças, ele não abaixou, então ela abaixou as calças do pai e ele está dormindo agora. Meu Deus, tio Abel, que gente! que casa! E o que será fazer o pato com o demônio? O papi vai comer o pato com o diabo, é isso, tio Abel?

CARTA DO TIO ABEL QUE EU ESTOU PASSANDO NO MEU CADERNO ROSA

Minha princesinha persa. Hoje a bolsa despencou e perdi meus últimos tostões. (Isso depois eu te explico.) Então resolvi andar um pouco pela cidade para distensionar (depois te explico) e encontrei um lindo circo nos arredores. E entrei, e um elefante nenê levantou a tromba pertinho de mim. Sabe o que eu pensei? Pensei que gostaria de ter a pica assim rombuda para você sentar inteirinha em cima, você, Lorinha, vestida com os tecidos de púrpura que eu te mandei e com as lindas argolinhas de ouro. Já furou as orelhinhas? O lindo seria pôr uma argolinha assim na tua cona gordinha, só na beiradinha do lábio lá dentro (acho que alguém já teve essa ideia), e você sempre se lembraria de mim quando um dia Lorinha, mulher-feita, sentisse uma pica lá dentro. Ia talvez machucar só um pouquinho, mas a lembrança de nossas carícias, a lembrança dessa você de antes, você-menina putinha e deliciosa, te faria encharcada de gozo. Ontem não aguentei de desejo por você e fui procurar uma mulher. E na hora que eu enfiei o meu pau na boceta da mulher comecei a gemer: minha princezinha persa, minha adorada princezinha. Aí a mulher parou tudo na hora e falou: ah, não, cara, se tu fode com princesa o preço é outro. Tentei explicar que era tudo um sonho, só uma vontade de, mas a mulher invocou, e começou a falar sem parar: que ela também já teve outro homem que era muito rico e que esse homem queria que ela tivesse imaginação, imagine ela! e que era preciso a cada trepada contar a história do homem de pau grande, que infelizmente ela nunca tinha tido, ele vivia repetindo na hora H, conta Jezabel (ela se chama Jezabel), conta a história do homem de pau grande. E que aquilo era uma chateação, mas como o homem era muito rico ela tinha que ficar pensando pra danar, e que um dia ela se encheu e disse pro homem: quer saber? você é que devia ter um pau grande e pôs o cara pra correr. Hoje a carta não é bonita, estou deprimido porque perdi os tais últimos tostões (acho que você não vai mais gostar de mim), e porque sinto muita saudade e queria pôr você em cima do meu pau-tromba e ficar te ninando, até você dormir. Beijo tua coninha, Lorinha adorada, sonha com teu Abelzinho quando você for para sua caminha cor-de-rosa. Abre bem a boca de pitanga e pensa que ele vai ficar aí dentro a noite inteira.

Teu Abel

Querido tio Abel:
as tuas cartinhas estão sempre mais difíceis. Mas eu gosto assim mesmo, tem muita palavra bonita. A última, menos. Primeiro quero contar pra você todas as coisas que compraram pra mim. Duas bonecas lindas que eu vesti com os panos que o senhor mandou. Elas também têm coninha, as bonequinhas. Depois mamãe mandou fazer umas cortinas de um pano lindo cor-de-rosa, cheio de lacinhos pintados. Ai, tio, eu não quero que você fique pobre, é tão gostoso ter dinheiro, tão tão gostoso que ontem de noite na minha caminha, eu peguei uma nota de dinheiro que a mamãe me deu e passei a nota na minha xixiquinha, e sabe que eu fiquei tão molhadinha como na hora que o

senhor lambe? sabe por que eu fiz assim? eu pensei assim: se o dinheiro é tão bonzinho que a gente dando ele pra alguém a outra gente dá tanta coisa bonita, então o dinheiro é muito bonzinho. E eu quis dar um presente pro dinheiro. E um bonito presente pro dinheiro é fazer ele se encostar na minha xixiquinha, porque se você, e o homem peludo, e o outro, e o Juca também gosta, ele, dinheiro, também gosta né, tio? O senhor gostou de eu inventar xixiquinha em vez de xixoquinha? Olha, tio Abel, ontem fui encontrar outra vez com o Juca, o José. Nossa, Abelzinho, você sabe que ele pôs a língua dentro do buraquinho do meu nariz? E do buraquinho da minha orelha? Acho que é por isso que todas as mamães mandam a gente lavar a orelha. Que gostoso isso da gente ter tantos buraquinhos. Depois o Juca mandou eu ficar de quatro igual aos cavalinhos, os cachorrinhos, as vaquinhas, e quis enfiar só um pouco o abelzinho dele (desculpa, tio), o pau preto dele lá dentro, e aí eu até caí de tão gostoso, eu caí como essa palavra aí atrás caiu, deu uma vontade de ir no banheiro só com aquele pouquinho que ele pôs, mas é muito mais grosso que o seu dedinho, tio, mas o Juca falou: não cabe não, Lorinha, você precisa crescer pra caber. Eu não sabia que cu também cresce, mas o Juca falou: tá na cara, sua boba, que cresce. O senhor não fica bravo porque eu gosto do Juca né, tio? Ele tem um cheiro lindo, e um gosto de melado também. Melado é aquele mel preto que é mais gostoso que o amarelo. Hoje, sabe, tio, eu também não estou muito contente, e uma coisa que eu sinto que parece que vai acontecer um clima, uma aura, como a mami diz. Papai só diz que está escrevendo uma porcaria daquelas. Mas que o Lalau anda muito contente. Ele mudou muito, o papi, de vez em quando ele abre a janela que dá pra vizinhança lá longe e grita: que cu, Santo Deus, que cu. Ainda bem que o vizinho mais perto daqui é o Juca e a mãe dele. E a mãe dele acho que nem sabe o que é isso. Ela é muito pobre. Pro Juca eu já contei que o papi está assim porque ele está escrevendo pra um homem que chama Lalau e que tem a máquina de fazer livro.

 Tua Lorinha

Não tenho mais meu caderno rosa. Mami e papi foram pra uma casa grande, chamada casa pra repouso. Eles leram o meu caderno rosa. Estou com o tio Toninho e a tia Gilka. Eles pediram pra eu escrever pra papi e mami explicando como eu escrevi o caderno. Então eu vou explicar.

Querido papi e querida mami:
Tio Toninho e tia Gilka têm sido muito bonzinhos e me pediram pra eu escrever esta cartinha pra vocês, explicando tudo bem direitinho. Sabe, papi, tudo bem direitinho também não dá pra explicar. Eu só queria muito te ajudar a ganhar dinheirinho, porque dinheirinho é bom, né, papi? Eu via muito papi brigando com tio Lalau, e tio Lalau dava aqueles conselhos das bananeiras, quero dizer bandalheiras, e tio Laíto também dizia para o senhor deixar de ser idiota, que escrever um pouco de bananeiras não ia manchar a alma do senhor. Lembra? E porque papi só escreve de dia e sempre tá cansado de noite, eu ia bem de noite lá no teu escritório quando vocês dormiam, pra aprender

a escrever como o tio Lalau queria. Eu também ouvia o senhor dizer que tinha que ser bosta pra dar certo porque a gente aqui é tudo anarfa, né, papi? e então eu fui lá no teu escritório muitas vezes e lia aqueles livros que você pôs na primeira tábua e onde você colou o papel na tábua escrito em vermelho: BOSTA. E todas as vezes que dava certo de eu ir lá eu lia um pouquinho dos livros e das revistinhas que estavam lá no fundo, aquelas que você e mami leem e quando eu chegava vocês fechavam as revistinhas e sempre estavam dando risada. Eu levei umas pouquinhas pro meu quarto e escondi tudo, também o caderno eu escondi lá naquele saco que tem as minhas roupinhas de nenê que a mami sempre diz que vai guardar de lembrança até morrer mas nunca mexe lá. Por que vocês mexeram lá? Mas eu já desculpei vocês. E nessas revistinhas tem as figuras das moças e dos moços fazendo aquelas coisas engraçadas. E também quando você comprou a outra televisão junto com o aparelhinho que todo mundo lá na escola já sabe fazer funcionar, eu também ligava tudo direitinho, e vi aquelas fitas que vocês se trancam lá quando você já está cansado, de tardezinha. Eu punha baixinho as fitas. Não incomodei o sono de vocês, né, papi? E também eu peguei alguns pedacinhos da tua história da mocinha, mas fiz mais diferente, mais como eu achava que podia ser se era comigo. Tio Toninho veio aqui agora e leu e disse que eu não preciso explicar tão direitinho. Bom, papai, eu só copiei de você as cartas que você escreveu pra mocinha mas inventei o tio Abel. Porque Caim e Abel é um nome do catecismo que eu gostei. Mas eu copiei só de lembrança as tuas cartinhas, eu ia inventar outras cartinhas do tio Abel quando eu aprendesse palavras bonitas. E as folhas da moça e do jumento eu devolvi lá no mesmo lugar, essa história eu também copiei como lembrança, porque você não ia me dar pra ler quando saísse na máquina de fazer livro do tio Lalau. É a primeira história do teu caderno negro, né, papi? Sara logo, papi, porque eu ouvi você dizer que tem que escrever dez histórias pro teu caderno e só tem uma.

Papai, no dia que vocês pegaram o meu caderno rosa eu ouvi o tio Lalau dizer depois da mami desmaiar lendo uns pedaços, eu ouvi assim ele dizer:

"Isto sim é que é uma doce e terna e perversa bandalheira!" (desculpe, papi, bananeira. Eu sempre me atrapalho com essa palavra.) Perversa eu vou ver o que é no dicionário. Essas curvinhas, que eu li na gramática que chamam de parentes, eu também aprendi a entender, e fazer, lendo os outros que estão na segunda tábua: o Henry, e aquele da moça e do jardineiro da floresta, e o Batalha que eu li o Olho e A Mãe. Mas eu gostei mais da tua moça e o jumento porque é mais bosta né, papi?

Eu também ouvia tudo o que você e mami e tio Dalton, e tio Inácio e tio Rubem e tio Millôr falavam nos domingos de tarde. Eu acho lindo todos esses tios que escrevem. Eu adoro escrever também, papi. Eu adoro você. E desculpe eu inventar que você gosta de lamber a mami, eu não sabia que você não gostava. E desculpe, mami, de inventar que você lia e me ensinava as coisas do meu caderno. Parece mesmo que vocês não gostaram, mas eu não escrevi pra vocês, eu escrevi pro tio Lalau. Eu queria também escrever a história do príncipe e de um outro He-Man mas que vai lamber a princesa. Tia Gilka disse que agora é pra parar a cartinha, e agora eu estou ouvindo ela dizer

pro tio Toninho que com a minha cartinha vocês vão ficar mais tempo aí. Então vou parar, e vou sim, mami, no sicólogo que você queria chamar um pouco antes de desmaiar na minha segunda página. Eu quero que a gente volte pra casa logo bem contente e sarados. Ó papi e mami, todo mundo lá na escola, e vocês também, falam na tal da cratividade, mas quando a gente tem essa coisa todo mundo fica bravo com a gente. Lambidinhas pra vocês também...
Lori

Querido tio Lalau: o senhor foi o único que falou uma coisa bonita do meu caderno rosa. Que agora eu não lembro mais mas na hora que o senhor falou eu gostei. Sabe, tio, queria muito que o senhor guardasse um segredo comigo. Eu ainda estou na casa do tio Toninho e da tia Gilka e papi e mami estão lá onde o senhor sabe, na casa grande de repouso. Eles estão demorando pra repousar, não é, tio? Mas olha, tio, o segredo é que eu estou escrevendo agora histórias pra crianças como eu e só quero mostrar para o senhor pra ver se essas também o senhor quer botar na máquina. Eu acho que elas são lindas! São histórias infantis, sabe, tio. Se o senhor gostar, eu posso fazer um caderno inteiro delas. O nome desse meu outro caderno seria: O cu do sapo Liu-Liu e outras histórias.

PRIMEIRA HISTÓRIA

O sapo Liu-Liu tinha muita pena de seu cu. Olhando só pro chão! Coitado! Coitado do cu do sapo Liu-Liu! Então ele pensou assim: Vou fazer de tudo pra que um raínho de sol entre nele, coitadinho! Mas não sabia como fazer isso. Conversando um dia com a minhoca Léa, contou tudo pra ela. Mas Léa também não sabia nada de cu. Vivia procurando o seu e não achava.

— Tá bem, vá, então cê não tem esse problema — disse Liu-Liu.

— Mas não fica bravo, Liu-Liu, eu vou me informar. Vou saber como você pode fazer pra que um raínho de sol entre no teu fiu-fiu.

— Que beleza, Léa! Fiu-fiu é um nome muito bonito e original!

— Não seja bobo, Liu, todo mundo sabe que cu se chama fiu-fiu.

— Ah, é? Pois eu não sabia.

Então Léa viajou pra encontrar a coruja Fofina que tinha fama de sabida. Fofina pensou pensou pensou, abriu velhos livros, consultou manuscritos, enquanto Léa dormia toda enrolada.

— Acorda, Léa! Achei! — disse Fofina. A minhoca Léa ficou toda retesada de susto.

— Relaxa, relaxa! — disse Fofina.

— Olha, Léa, Liu-Liu tem que aprender uma lição lá da Índia — disse Fofina.

— Eu tenho medo de índio, disse a minhoca Léa.

— Não seja idiota, Índia é uma terra que fica longe daqui.

— Ah, então tá bom, disse Léa.

— Olha, Léa, lá na Índia eles se torcem tanto que engolem o próprio cu.

— Credo! E como é que o cu sai?

Bem, isso é outra história que eu tenho que estudar, mas o Liu-Liu tem que ficar com a cabeça pra baixo, e as pernas de trás pra cima.

Assim

Fofina ficou vermelha como um peru e não conseguiu mostrar o exercício pra minhoca Léa, mas Léa entendeu, e foi tentando contar tudo a Liu-Liu. Demorou três dias, mas chegou.

Foram meses muito difíceis para o sapo Liu-Liu. Mas toda a sapaiada ficou torcendo pra ele. E quando o primeiro raínho de sol entrou no fiu-fiu de Liu-Liu foi aquela choradeira de alegria. Hoje até no lago Titicocu todo sapo que se preza toma sol no fiu-fiu. E o país do Cuquente, onde mora o Liu, desde então é uma festa! Do dia ao poente!

SEGUNDA HISTÓRIA

Quando o cu do Liu-Liu olhou o céu pela primeira vez, ficou bobo. Era lindo! E ao mesmo tempo deu uma tristeza! Pensou assim: eu fiu-fiu, que não sou nada, sou apenas um cu, pensava que era Algo. E nos meus enrugados, até me pensava perfumado! E só agora é que eu vejo: quanta beleza! Eu nem sabia que existia borboleta! Fechou-se ensimesmado. E fechou-se tanto que o sapo Liu-Liu questionou: será que o sol me fez o cu fritado?

TERCEIRA HISTÓRIA

Era uma vez uma mosca chamada Muská. Ela se achava um bicho repelente. Cada vez que se olhava no espelho ela chorava. Um dia Muská encontrou a comadre Vertente. Vertente era cheia de cascata, linda, lisa e lavada.

— É, comadre Vertente, como é que é ser assim como gente?

— Não me ofenda, Muská, gente é repelente!

— Cê acha?

— Cê pode até não achá, Muská: quem sai aos seus não degenera, Muská veia.

E muito encrespada deu-lhe uma bela lavada!

(Tio Lalau: essa é pra pensar. "Funda e tênue", como diz papi. E como nas fábulas do tio La Fontêne.)

HISTORINHA ESOTÉRICA CHILENA (*)

Pau d'Alho era um rei muito feliz porque tinha duas cabeças. Dava tempo pra pensar duas vezes mais em seu povo. O povo sabia das qualidades raras do rei Pau d'Alho e adorava-o. Ele era rei da Alhanda. Mas um dia o mago da corte disse ao rei: a bruxa Ciá quer cortar as duas cabeças de Vossa Alteza. Todo o povo rezou rezou mas não adiantou. E o rei Pau d'Alho morreu com duas cabeças e tudo.

Moral da história segundo um cara quente: "A perfeição é a morte".

(*) Tio Lalau: os tios que vinham aqui em casa conversavam muito sobre esse lugar chileno.

Lori Lamby

Papi, tô te devolvendo a poesia que o senhor escreveu, que eu também roubei (desculpe) daquelas prateleiras escrito Bosta. Repousa bastante, tá?

(Tó, Lalau, isto é pra você)

Araras versáteis. Prato de anêmonas.
O efebo passou entre as meninas trêfegas.
O rombudo bastão luzia na mornura das calças e do dia.
Ela abriu as coxas de esmalte, louça e umedecida laca
E vergastou a cona com minúsculo açoite.
O moço ajoelhou-se esfuçando-lhe os meios
E uma língua de agulha, de fogo, de molusco
Empapou-se de mel nos refolhos robustos.
Ela gritava um êxtase de gosmas e de lírios
Quando no instante alguém
Numa manobra ágil de jovem marinheiro
Arrancou do efebo as luzidias calças
Suspendeu-lhe o traseiro e aaaaaiiiiiii...
E gozaram os três entre os pios dos pássaros
Das araras versáteis e das meninas trêfegas.

Papi, o que é refolho robusto, hein?
E robusto bastão, hein?

Posfácio
O caderno rosa-choque de Hilda Hilst

Vera Iaconelli

Muito se conjectura sobre a motivação de Hilda Hilst ao escrever um texto tão escandaloso quanto *O caderno rosa de Lori Lamby*. A autora recebeu críticas de todos os lados, inclusive dos admiradores habituais. Para além do conhecido moralismo brasileiro, o texto também foi mal avaliado por autores consagrados, que compartilhavam das aspirações literárias de Hilst, mas que não se identificaram com sua ousadia.

Ao colocar o escritor enlouquecendo enquanto tenta se vender para o editor — fina ironia —, Hilst arranca risos constrangidos do leitor. Sim, queremos que o artista nos preencha a vida com o mínimo de reflexão possível, servindo como antídoto para qualquer risco de autocrítica ou de contato com nosso vazio existencial. Nada melhor do que a obscenidade para conseguir o efeito de alienação pretendido — embora em Hilst ocorra exatamente o oposto, pois ela nos deixa atônitos. Em entrevista para o jornal *Correio Popular*, em 1975, ela diz:

Quero ser lida em profundidade e não como distração, porque não leio os outros para me distrair, mas para compreender, para me comunicar. Não quero ser distraída. Penso que é a última coisa que se devia pedir a um escritor: novelinhas para ler no bonde, no carro, no avião. Parece que as pessoas querem livrar-se assim de si mesmas, que têm medo da ideia, da extensão metafísica de um texto, da pergunta, enfim.[1]

A paródia com o mercado editorial é explícita no texto, mas o que mais impressiona é a capacidade da escritora de debochar do leitor, que acaba sem saber o que pensar ou sentir ao ler suas tórridas páginas. *O caderno* tem muito além do evidente protesto contra o mercado editorial.

Lori Lamby é o nome impagável da criança que descobre os prazeres de seu corpo — e do dinheiro! — junto a homens mais velhos. De cara ela anuncia que tem oito anos, retirando da Lolita de Nabokov quatro preciosos anos que dariam margem a interpretações ambíguas quanto à sexualidade pré-adolescente. Lembremos que, no livro do russo, Dolores — vulgo Lolita — tinha doze anos e no filme de Stanley Kubrick a personagem foi interpretada por Sue Lyon, então com quatorze anos. Embora as três personagens estejam dentro do espectro que se convencionou chamar de infância, a escolha de tão tenra idade para a protagonista deixa clara a intenção da autora de "brincar com fogo".

Assim, Hilda apresenta uma criança pré-púbere narrando suas aventuras sexuais pagas por homens adultos. Escândalo dos

---

[1] Diniz, C. (Org.). *Fico besta quando me entendem: Entrevistas com Hilda Hilst*. São Paulo: Biblioteca Azul, 2013.

escândalos: como é possível satirizar a pedofilia? Engana-se quem pensa que a personagem retrata a realidade da cena de abuso infantil, e considero importante apontar isso em detalhe. Não serei a primeira a afirmá-lo e, certamente, tampouco a última. Mas faz-se necessário desfazer esse engodo, em tempos nos quais impera, para além da ignorância, a má-fé na interpretação de textos.

O sujeito cujo prazer sexual se realiza no assédio à criança obtém seu prazer ao subjugar uma vítima inocente, com quem tem uma relação absolutamente assimétrica. A questão do poder e da ascendência sobre a criança é fundamental na realização da fantasia do abusador. Mesmo quando a criança é seduzida e cede às investidas do adulto, ela não tem como julgar a exploração a que está submetida, uma vez que está fadada a confiar nos adultos dos quais depende. É célebre o texto de Sandor Ferenczi, "Confusão de língua entre os adultos e a criança",[2] no qual o psicanalista diferencia a experiência da ternura, almejada pela criança, com a da sexualidade adulta, para a qual ela ainda não está preparada. Daí o título, pois se trata de linguagens distintas. A confusão acontece do lado da criança que, esperando ser amada e protegida, não tem como se defender da malícia e da violência do adulto. Não raro, sabemos que o abuso infantil se dá pelas mãos de familiares e amigos, pois o abusador faz uso da relação de confiança para exercer sua influência e ter acesso ao menor ou ao incapaz. Por amor, admiração ou medo, a criança não tem como saber o que perde ao consentir. Isso, quando se trata de consentimento.

---

[2] Ferenczi, S. "Confusão de língua entre os adultos e a criança". In: *Psicanálise IV*, São Paulo: Martin Fontes, 1992, pp. 97-106.

É nessa posição de subalternidade que a vítima é atraente para o pedófilo. O poder decorrente da assimetria o excita e faz com que o abusador — na maioria dos casos do sexo masculino, mas não só — sinta-se poderoso. Pessoas mais velhas e em situação de igualdade o intimidam e desestimulam, revelando que esse tipo de molestador se sente humilhado na esfera sexual. A humilhação e a inadequação são subvertidas, passando a ser vividas pela vítima. A criança, por sua vez, não tem querer ao olhos dele e é um mero objeto de sua cobiça. Em função dessa impossibilidade de reconhecer a vítima como outro ser humano, o adulto abusador imputa à criança um desejo que não está nela. Daí ouvirmos de sua boca que a criança estava gostando, que desejava, que consentiu. O mesmo discurso perverso aparece em casos de estupro, pois ele se baseia na negação de que a vítima deseje algo diferente do que o criminoso deseja.

Mas, diferentemente do estupro episódico — que também ocorre nesses casos —, muitas vezes encontramos a sedução crônica da vítima, por anos a fio. O psicanalista Joel Birman, em artigo para a revista *Superinteressante*,[3] afirma que "a criança nunca é parceira na relação com um pedófilo, mas seu objeto, pois é um ser indefeso, dominado sadicamente".

O tratamento de sujeitos que sofreram abuso esbarra na culpa que o agressor incute nas vítimas ao imputar-lhes seu desejo perverso. A vítima se sente culpada por ter sido induzida ao

---

[3] Birman, J. "Inocência roubada". *Revista Superinteressante*, n. 176, 2002, p. 39-46.

erro sem se defender. Vemos aí uma dupla violência: ter sofrido a violência e sentir-se culpada por ela.

Não vemos nada disso na criança suposta por Hilst.

Com Lori, a situação está totalmente subvertida. Ela tem pleno controle da relação. Nada da descrição da cena sexual nos remete ao verdadeiro âmago da situação de pedofilia. A personagem tem domínio do jogo, negocia, explora e recusa. Revela sentir tanto prazer quanto o molestador. Entende claramente o sentido do dinheiro e, acima de tudo, desse prazer. Seu gozo não está submetido ao do agressor. Na verdade, mais parece o contrário. Lori é um personagem inverossímil, que estabelece uma relação completamente inconsistente com a de uma criança diante do assédio e do estupro.

Sua relação com o saber também revela que a questão da autora é outra. Ora ela surge ingênua e débil, ora como leitora de livros adultos e profícua escritora, introduzindo os debates de Hilst com outros grandes autores.

> Eu também aprendi a entender, e fazer, lendo os outros que estão na segunda tábua: o Henry, e aquele da moça e do jardineiro da floresta, e o Batalha que eu li o Olho e a Mãe.
>
> Eu também ouvia tudo o que você e a mami e o tio Dalton, e o tio Inácio e tio Rubem e tio Millôr falavam nos domingos de tarde.

A autora também não perde a oportunidade de explicitar nossa relação obscena com a infância através da conhecida figura da apresentadora de programa infantil, cujas roupas sensuais faziam os adultos babar. Nesse ponto, Hilst escolhe um dos temas que viria a se tornar dos mais sensíveis para nossa cultura. A pedofilia tem sido a obsessão das teorias conspiratórias de grupos de ultradireita, causando turbulências geopolíticas que ameaçam a democracia mundial. O fato de terem como paranoia a sexualidade infantil — e não a destruição do meio ambiente, por exemplo — é revelador da ambiguidade sobre o lugar da criança na atualidade. A criança, que na virada do século XIX para o XX era depositária da esperança de ascensão da família e alvo de grande investimento, se torna um peso para pais e mães a partir da revolução sexual dos anos 1960. Como nos aponta Joel Birman, o tempo de "sua majestade, o bebê" — expressão cunhada por Freud[4] — está acabando:

> Portanto, não devemos estranhar que a *pedofilia* tenha se transformado em uma de nossas obsessões contemporâneas, [...] as crianças deixam de ser o signo por excelência do futuro, como eram no início do século XIX, e se transformam no objeto de gozo imediato dos adultos, no nosso imaginário contemporâneo.[5]

O bebê-majestade dá lugar à criança-estorvo, que a sociedade não quer mais assumir como responsabilidade sua. Daí decorre a paranoia generalizada, de que todos nós seríamos abusadores em potencial, bastando haver a mínima oportunidade para isso.

---

[4] Freud, S. "Sobre o narcisismo — Uma introdução". In: *Edição Standard Brasileira das Obras Completas de Sigmund Freud*, v. XIV, Rio de Janeiro: Imago, 1996.
[5] Birman, J. "Laços e desenlaces na contemporaneidade". In: *Jornal de Psicanálise*, São Paulo, jun. 2007, pp. 47-62.

Hilst não poderia escolher assunto mais sensível e atual para usar como veículo de sua crítica ao cinismo do leitor alienado e de seu cúmplice, o editor.

A personagem Lori, longe de remeter a alguma pretensa realidade, aponta para outro lugar. Hilst joga na cara do leitor o quanto a fantasia perversa pode excitá-lo e para isso tira de Lori qualquer vestígio do lugar de vítima. Caso contrário, o efeito satírico do livro seria impossível. A autora produz um texto excitante com suas descrições apimentadas, justamente por remeterem à sexualidade adulta e não ao relato abusivo. Pedófilos teriam pouco a se divertir nessa leitura, encarando uma personagem nada infantil com pleno domínio da cena.

A grande vítima da história é o escritor que se prostitui à revelia de seu desejo. Não se trata da criança abusada, mas do sujeito que se vê tendo que escolher entre "a bolsa ou a vida". E daí a genialidade de Hilst, que, diante de semelhante escolha, ficou com as duas.

A partir de *O caderno rosa de Lori Lamby*, se inicia a trilogia obscena, cujo valor literário inconteste obriga a mídia a colocá-la nos holofotes e o público a lê-la. Hilst rompe a barreira do que se esperava de uma mulher e de uma escritora e, ao fazê-lo, obriga leitor e críticos a se renderem à sua genialidade e qualidade literária. Em seguida, ela pode voltar à sua grande obsessão, como revela em entrevista a *Cadernos de Literatura*,[6] na qual, ao completar a frase formulada pelo entrevistador —

---

[6] *Cadernos de Literatura — Hilda Hilst*, São Paulo: Instituto Moreira Salles, n. 8, outubro de 1999, p. 37.

"Sua obra, no fundo, então, procura..." —, responde, simplesmente, "Deus". Em *Contos d'escárnio* e *Cartas de um sedutor*, a obscenidade e o humor voltam a estar a serviço da metafísica, completando a trilogia obscena.

O personagem angustiado de *O caderno rosa* é o escritor, mas é com as descrições de Lori que o leitor vai se angustiar. O mal-estar que Hilda concebe com a narrativa da criança — ainda que atenuada pelos esclarecimentos finais — lhe rendeu o título de escritora maldita. Maldita, mas convenientemente lida, diga-se de passagem.

Para cada editor que demanda leitura vulgar, há milhares de leitores ávidos por consumi-la. E é isso mesmo que ela vai subverter. O escândalo aqui não vem sem a crítica ao leitor "distraído", escapista, que ela denuncia em suas entrevistas desbocadas e memoráveis.

Ao dar o que o leitor pede, e fazê-lo de forma radical e subversiva, Hilst o expõe, expõe suas fantasias inconfessas e o faz se estranhar.

Lori, assim como Hilda, não é vítima, pois sabe exatamente como nos seduzir e nos obrigar a questionar nossa motivação enquanto leitor. Como grande artista, ameaçou nossas certezas, empurrando os limites do decoro e da sensatez em direção à literatura. O tempo deu a prova da genialidade de seu feito e, passados trinta anos de seu lançamento, *O caderno rosa de Lori Lamby* mostra-se, mais do que atual, necessário.

Sobre a autora

Filha do fazendeiro, jornalista e poeta Apolônio de Almeida Prado Hilst e de Bedecilda Vaz Cardoso, Hilda de Almeida Prado Hilst nasceu em Jaú, São Paulo, em 21 de abril de 1930. Os pais se separaram em 1932, ano em que ela se mudou com a mãe e o meio-irmão para Santos. Três anos mais tarde, seu pai foi diagnosticado com paranoia esquizoide, tema que apareceria de forma contundente em toda a obra da poeta. Aos sete anos, Hilda foi estudar no Colégio Interno Santa Marcelina, em São Paulo. Terminou a formação clássica no Instituto Mackenzie e se formou na Faculdade de Direito do Largo São Francisco, da Universidade de São Paulo.

Hilda publicou seu primeiro livro, *Presságio*, em 1950, e o segundo, *Balada de Alzira*, no ano seguinte. Em 1963, abandonou a atribulada vida social e se mudou para a fazenda da mãe, São José, próxima a Campinas. Num lote desse terreno, a poeta construiu sua chácara, Casa do Sol, onde passou a viver a partir de 1966, ano da morte de seu pai. Na companhia do escultor Dante Casarini — com quem foi casada entre 1968 e 1985 — e de muitos amigos que por lá passaram, ela, sempre rodeada por dezenas de cachorros, se dedicou exclusivamente à escrita. Além de poesia, no fim da década de 1960 a escritora ampliou sua produção para ficção e peças de teatro.

Nos anos 1990, em reação ao limitado alcance de seus livros, Hilda se despediu do que chamava de "literatura séria" e inaugurou a fase pornográfica com os títulos que integrariam a "tetralogia obscena": *O caderno rosa de Lori Lamby*, *Contos d'escárnio/ Textos grotescos*, *Cartas de um sedutor* e *Bufólicas*. De 1992 a 1995, colaborou para o *Correio Popular* de Campinas com crônicas semanais.

Entre os prêmios recebidos pela escritora, destacam-se o PEN Clube de São Paulo para *Sete cantos do poeta para o anjo*, em 1962; o Grande Prêmio da Crítica pelo Conjunto da Obra, da Associação Paulista dos Críticos de Arte (APCA), em 1981; o Jabuti por *Rútilo nada*, em 1994; e o Moinho Santista pelo conjunto da produção poética, em 2002. Hilda morreu em 2004, em Campinas.

1ª EDIÇÃO [2021] 1 reimpressão

ESTA OBRA FOI COMPOSTA POR ELISA VON RANDOW EM ELECTRA
E IMPRESSA PELA GRÁFICA PAYM EM OFSETE SOBRE PAPEL PÓLEN BOLD DA
SUZANO S.A. PARA A EDITORA SCHWARCZ EM JANEIRO DE 2025

A marca FSC® é a garantia de que a madeira utilizada na fabricação do papel deste livro provém de florestas que foram gerenciadas de maneira ambientalmente correta, socialmente justa e economicamente viável, além de outras fontes de origem controlada.